AI와 함께하는 세상

교육 , 문제점 , 윤리 그리고 미래

<허니소프트 협동조합>

AI와 함께하는 세상 _ 교육 , 문제점 , 윤리 그리고 미래

발 행 | 2024년 1월 12일

저 자 | 허니소프트 협동조합

펴낸이 | 한건희

펴낸곳 | 주식회사 부크크

출판사등록 | 2014.07.15(제2014-16호)

주 소 | 서울특별시 금천구 가산디지털1로 119 SK트윈타워 A동 305호

전 화 | 1670-8316

이메일 | info@bookk.co.kr

ISBN: 979-11-410-6641-3

www.bookk.co.kr

- 목 차 -

<시작하며>

 안녕하세요, 저희는 현직 S/W 강사 협동조합의 선생님들입니다. 교육의 현장에서 학생과 교사, 그리고 다양한 교육 관계자들과 함께 S/W 수업을 진행하고 있습니다. 최근 몇 년 사이에 인공지능(AI)이 폭발적으로 성장하면서, 우리의 교육 환경과 일상 생활이 급격히 변화하고 있습니다.

이러한 변화 속에서, 인공지능이 우리 생활과 교육에 미치는 영향을 깊게 이해하고, 그에 대응하는 방법을 모색하기 위해 이 책을 집필하게 되었습니다. "AI와 함께하는 세상: 교육, 문제점, 윤리 그리고 미래"는 현직 S/W 강사들이 공동으로 작성한 책으로, 인공지능의 다양한 측면을 다루고 있습니다.

이 책에서는 디지털 혁신의 현재 상황, AI의 교육적 적용, 윤리적 문제, 그리고 예술과 문학 등 다양한 분야에서의 AI 활용에 대해 심도 있게 다룹니다. 이를 통해, 학생들과 교사들, 그리고 모든 이들이 인공지능 시대에 어떻게 적응하고, 이를 긍정적으로 활용할 수 있는지에 대한 방향을 제시하고자 합니다.

저희와 함께 AI의 다양한 얼굴을 알아보고, 미래에 대비하는 방법을 찾아가는 여정에 동참해 주시기를 바랍니다.

감사합니다.

현대 사회에서의 디지털 혁신과 상호작용_ 김현정

1. 인공지능과 메타버스의 개념 소개

인공지능과 메타버스는 현대 디지털 시대에서 두드러지게 주목받는 개념들입니다. 각각 독특한 특성과 잠재력을 가지고 있으며, 상호작용함으로써 혁신적인 디지털 경험을 제공할 수 있는 가능성을 열고 있습니다.

먼저, 인공지능은 인간의 학습과 추론 능력을 모방하거나 초월하는 컴퓨터 시스템을 의미합니다. 인공지능은 데이터를 분석하고 패턴을 학습하여 문제 해결, 의사 결정, 자율적인 행동 등을 수행할 수 있습니다. 머신 러닝, 딥러닝, 강화학습 등의 기술을 기반으로 발전하며, 음성 인식, 이미지 인식, 자율 주행 등의 다양한 응용 분야에서 활용됩니다. 한편, 메타버스는 가상 혹은 혼합된 현실과 가상 현실의 융합된 디지털 공간을 지칭합니다. 메타버스는 현실 세계를 모방하거나 상상력을 초월하는 가상 세계로서, 사용자들은 이곳에서 가상 캐릭터를 조작하고 상호작용하며 다양한 활동을 할 수 있습니다. 가상 경제 시스템, 가상 협업 공간 등 다양한 측면에서 활용되고 있으며, 게임, 가상 현실 체험, 소셜 미디어 플랫폼 등에서 점점 더 중요한 역할을 맡고 있습니다.

인공지능과 메타버스는 상호작용함으로써 서로를 보완하고 발전시킬 수 있는 많은 가능성을 갖고 있습니다. 예를 들어, 인공지능은 메타버스 내에서 가상 캐릭터의 행동과 상호작용, 가상 경제 시스템의 관리, 개인화된 사용자 경험 제공 등에 활용될 수 있습니다. 인공지능은 메타버스 내에서 사용자의 행동 패턴과 관심사를 분석하여 개인에게 맞춤형 서비스를 제공하고, 자율적인 행동을 보이는 가상 캐릭터를 구현할 수 있습니다.

이러한 인공지능과 메타버스의 연관성은 현재까지는 여전히 초기 단계에 있습니다. 하지만 두 개념의 상호작용은 더욱 발전할 것으로 예상됩니다.

2. 메타버스의 현황과 발전

메타버스의 정의와 역사

메타버스는 현실과 가상이 융합된 디지털 공간을 지칭하는 개념으로, 가상 혹은 혼합된 현실과 가상 현실이 결합된 환경을 의미합니다. 이는 현실 세계를 모방하거나 상상력을 초월하는 가상 세계로 구성되어 있으며, 사용자들은 이곳에서 가상 캐릭터를 조작하고 상호작용하며 다양한 활동을 할 수 있습니다.

메타버스라는 용어는 1992년 작가 닐 스테븐슨(Neil Stephenson)의 과학 소설 "스노우 크래시(Snow Crash)"에서 처음 등장했습니다. 그 이후로 메타버스의 개념은 점차 발전하고 확장되었으며, 21세기에 들어서는 기술의 발전과 함께 현실화되고 있는 개념이 되었습니다.

메타버스의 역사는 초기부터 게임 분야에서 주로 발전해왔습니다. 가상 현실 게임이나 MMORPG(Massively Multiplayer Online Role-Playing Game)와 같은 온라인 게임들은 사용자들에게 가상 세계에서의 상호작용과 경험을 제공했습니다. 이러한 게임들은 사용자들이 가상 캐릭터를 조작하고 가상 환경을 탐험하며, 다른 사용자들과의 인터랙션을 통해 새로운 경험을 할 수 있는 플랫폼을 제공했습니다.

그러나 메타버스의 개념은 게임 분야를 넘어 다양한 분야에서 확장되고 발전하고 있습니다. 소셜 미디어 플랫폼에서의 메타버스는 사용자들에게 가상 공간에서의 소셜 인터랙션을 제공합니다. 가상 공간에서 다른 사용자 들과의 만남, 대화, 협업 등을 통해 커뮤니티를 형성하고 정보를 공유할 수 있습니다.

또한, 비즈니스와 교육 분야에서도 메타버스는 중요한 역할을 맡고 있습니다. 가상 협업 공간은 분산된 팀이 협력하고 의사 소통할 수 있는 환경을 제공하며, 가상 회의 및 교육 플랫폼은 현실에서 제약되는 제한적인 활동을 넘어 더욱 효율적이고 창의적인 작업을 수행할 수 있게 해줍니다. 가상 학습 환경을 통해 현실에서 어려운 실험 및 체험을 가상으로 시뮬레이션하고 학습할 수도 있습니다.

메타버스의 역사는 기술의 발전과 함께 급속도로 진화해왔습니다. 초기에는 2D 가상 공간이 주를 이루었지만, 가상 현실(VR), 증강 현실(AR), 혼합 현실(MR) 등의 기술 발전으로 인해 사용자들은 더욱 현실적이고 몰입도 높은 경험을 할 수 있게 되었습니다. 또한, 블록체인 기술의 발전은 가상 자산의 소유권과 거래의 투명성을 보장하여 가상 경제의 성장을 촉진했습니다.

현재의 메타버스는 단순한 게임이나 가상 세계 개념을 넘어서 사회적, 경제적, 문화적인 영향력을 가지고 있습니다. 메타버스는 창작자, 예술가, 기업가, 교육자 등 다양한 분야의 사람들에게 창작과 협업의 새로운 창구를 제공하며, 경제적 가치를 창출할 수 있는 플랫폼으로 작용합니다. 또한, 사회적 관계의 형성과 유지, 문화적인 활동의 장을 제공하여 디지털 시대의 새로운 문화와 가치체계의 형성에 기여하고 있습니다.

메타버스의 현대 사회에서의 역할과 중요성

메타버스는 현대 사회에서 혁신적인 역할과 중요성을 갖고 있습니다. 이제서야 메타버스가 다양한 분야에서의 활용과 가치를 입증하며 많은 사람들의 관심을 받고 있습니다.

첫째로, 메타버스는 사회적 상호작용과 소통의 새로운 형태를 제공합니다. 현대 사회는 디지털 기술의 발전으로 인해 점차적으로 가상 공간에서의 활동과 소통이 증가하고 있습니다. 메타버스는 이러한 가상 공간에서 사람들이 협력하고 상호작용할 수 있는 환경을 제공하여 사회적 관계와 소통을 촉진합니다. 예를 들어,

가상 협업 공간에서 전 세계의 사람들이 모여 프로젝트를 진행하거나, 가상 커뮤니티에서 취미나 관심사를 공유하며 소통할 수 있습니다. 이를 통해 지리적, 시간적 제약을 극복하고 다양한 사회적 네트워크를 형성할 수 있습니다.

둘째로, 메타버스는 창의성과 상상력을 자유롭게 발휘할 수 있는 창작 공간을 제공합니다. 메타버스는 현실에서는 어려웠던 상상력과 창의성을 펼칠 수 있는 가상 세계입니다. 사람들은 메타버스에서 새로운 아이디어를 시각화하고, 창작 활동을 자유롭게 펼칠 수 있습니다. 예를 들어, 가상 미술관에서 예술 작품을 전시하거나, 가상 공연장에서 음악 공연을 개최할 수 있습니다. 이를 통해 예술과 문화의 다양성과 접근성을 증진시키며, 창의성과 상상력을 활용한 새로운 문화 콘텐츠를 제공할 수 있습니다.

셋째로, 메타버스는 가상 경제 시스템과 새로운 경제 생태계를 형성합니다. 메타버스는 가상 환경 내에서 상품과 서비스의 생산, 거래, 소비가 이루어지는 경제 생태계를 형성할 수 있습니다. 예를 들어, 가상 환경에서 가상 화폐가 상품을 생산하고 거래하는 가상 경제 시스템이 구축될 수 있습니다. 이를 통해 창작자들은 자신의 작품을 가상 시장에 출시하여 수익을 창출할 수 있으며, 사용자들은 가상 환경에서 다양한 상품과 서비스를 구매하고 소비할 수 있습니다. 이는 새로운 비즈니스 모델과 경제 활동의 영역을 확장시키고, 창작자들과 소비자들 간의 직접적인 상호작용과 경제적인 활동을 촉진합니다.

넷째로, 메타버스는 교육과 학습의 혁신을 이끌어냅니다. 가상 환경 내에서는 현실에서는 어려웠던 실험, 시뮬레이션, 상호작용 등 다양한 학습 경험을 제공할 수 있습니다. 예를 들어, 가상 실험실에서 과학적인 실험을 수행하거나, 가상 교실에서 협업과 창의적인 문제 해결을 경험할 수 있습니다. 이를 통해 학습자들은 적극적이고 참여적인 학습을 할 수 있으며, 지식과 기술을 효과적으로 습득할 수 있습니다.

마지막으로, 메타버스는 사회적 참여와 다양성을 증진시킵니다. 가상 공간은 지리적, 시간적 제약을 극복하고 사회적, 문화적인 다양성을 표현하고 수용할 수 있는 공간입니다. 사회적 약자나 소수 집단들은 메타버스를 통해 자신들의 목소리를 들려주고, 사회적 참여와 소통의 기회를 얻을 수 있습니다. 이를 통해 메타버스는 다양한 사회적 배경과 관점을 수용하고 협력하는 공간을 제공하여 사회적인 포용성과 공정성을 촉진할 수 있습니다.

메타버스의 중요성은 더욱 커질 것으로 예상됩니다. 빠르게 진화하는 디지털 기술과 네트워크의 발전으로 인해 사람들은 더욱 많은 시간을 가상 공간에서 보내고, 가상 경제와 사회적 활동에 참여하게 될 것입니다. 이에 따라 메타버스는 현대 사회에서 새로운 경제 생태계, 사회적 관계의 형성과 소통, 창의적인 활동과 협업의 중심지가 될 것입니다.

3. 인공지능과 메타버스의 상호작용

인공지능과 메타버스는 상호작용을 통해 혁신적인 시너지 효과를 발휘할 수 있습니다. 이러한 상호작용은 서로 다른 분야에서의 발전과 융합을 통해 새로운 가치를 창출하고 다양한 문제를 해결하는 데에 도움을 줍니다.

첫째로, 인공지능은 메타버스 내에서 사용자 경험을 향상시키고 개인화된 서비스를 제공하는 데에 활용됩니다. 예를 들어, 자율 인공지능은 사용자의 선호도와 행동 패턴을 학습하여 개인 맞춤형 콘텐츠 추천, 가상 공간 내에서의 가이드 및 도움, 사용자의 요구에 대한 실시간 응답 등을 수행할 수 있습니다. 이를 통해 사용자는 보다 풍부한 경험과 편의성을 누릴 수 있습니다.

둘째로, 인공지능은 메타버스 내에서 창작과 협업을 촉진하는 역할을 합니다. 자율 인공지능은 창작자들과 협력하여 창의적인 작품을 개발하고 혁신적인 아이디어를 발전시킬 수 있습니다. 예를 들어, 인공지능이 예술가나 작가와 함께 작품을 공동으로 창조하거나, 비즈니스 전문가들과 협업하여 새로운 비즈니스 모델을 개발하는 등의 활동이 가능해집니다.

셋째로, 메타버스는 인공지능에게 다양한 학습과 실험의 환경을 제공합니다. 인공지능은 메타버스에서 다양한 상황과 상호작용을 경험하며 지속적인 학습을 수행할 수 있습니다. 예를 들어, 가상 환경에서의 로봇 학습, 가상 시뮬레이션을 통한 자율 주행 차량의 훈련, 게임을 통한 강화학습 등이 가능합니다. 이를 통해 인공지능은 현실에서는 어려웠던 데이터 수집과 실험, 학습의 기회를 확장시킬 수 있습니다.

넷째로, 인공지능은 메타버스 내에서 데이터 분석과 예측을 통한 가상 경제 시스템의 관리와 최적화에 활용될 수 있습니다. 메타버스 내에서 발생하는 거대한 양의 데이터를 인공지능이 수집, 분석하고 예측 모델을 구축함으로써 가상 경제 시스템을 관리할 수 있습니다. 예를 들어, 인공지능은 가상 환경 내에서 상품 수요와 공급을 예측하여 자원의 효율적인 할당과 시장의 균형을 유지할 수 있습니다. 또한, 인공지능은 가상 경제 시스템 내에서 거래 데이터를 분석하여 사기나 부정행위를 감지하고 예방하는 역할을 수행할 수 있습니다.

마지막으로, 인공지능과 메타버스의 상호작용은 새로운 비즈니스 모델과 기회를 창출할 수 있는 가능성을 제시합니다. 메타버스에서의 가상 경제 시스템과 인공지능의 결합은 새로운 서비스 및 상품의 개발과 판매를 위한 플랫폼을 제공할 수 있습니다. 예를 들어, 인공지능 기술을 활용한 가상 쇼핑 앱이나 가상 투어 플랫폼을 개발하여 사용자들에게 혁신적인 경험과 서비스를 제공할 수 있습니다.

4. 인공지능을 활용한 메타버스 개인화

개인화 기능의 중요성과 필요성:

메타버스에서의 개인화 기능은 사용자의 요구와 취향에 맞는 맞춤형 경험을 제공하는 데 중요한 역할을 합니다. 개인화는 사용자들이 메타버스 내에서 더욱 의미 있는 상호작용과 콘텐츠를 경험할 수 있도록 도와주며, 다음과 같은 이점을 가지고 있습니다.

맞춤형 경험: 개인화는 사용자들에게 맞춤형 서비스, 컨텐츠, 추천을 제공하여 개인의 요구와 취향에 최적화된 경험을 제공합니다. 사용자는 자신에게 맞는 가상 활동, 소셜 인터랙션, 콘텐츠를 더욱 효과적으로 찾고 이용할 수 있습니다.

적응과 학습: 개인화 기능은 사용자의 행동 패턴, 취향, 관심사 등을 분석하여 학습하고 적응합니다. 이를 통해 메타버스는 사용자들의 선호도와 필요에 맞추어 변화하고 발전할 수 있습니다.

가치 창출과 유지: 개인화는 사용자들이 메타버스에 더 오래 머무르고, 활발한 활동을 유지할 수 있도록 돕습니다. 맞춤형 경험과 개인에게 맞는 가치 창출은 사용자들의 만족도를 높이고 장기적인 이용을 유도할 수 있습니다.

인공지능을 활용한 메타버스 사용자 경험 개선:

인공지능은 메타버스 내에서 다양한 개인화 기능을 구현하는 데 활용됩니다.

다음은 인공지능을 활용한 메타버스 사용자 경험 개선의 사례입니다.

개인화된 콘텐츠 추천: 인공지능은 사용자들의 행동과 취향을 분석하여 맞춤형 콘텐츠 추천을 제공합니다. 사용자들은 자신에게 관련성이 높은 가상 세계의 이벤트, 활동, 컨텐츠를 쉽게 찾을 수 있습니다.

가상 캐릭터 인공지능 동반자: 인공지능을 내장한 가상 캐릭터는 사용자와 상호작용하며 즉각적인 응답과 대화를 제공합니다. 이를 통해 사용자들은 가상 세계에서 현실과 유사한 사회적 상호작용을 경험할 수 있습니다.

개인화된 가상 환경 조정: 인공지능은 사용자의 선호도와 필요에 맞추어 가상 환경을 개인화 하는 기능을 제공합니다. 예를 들어, 사용자의 선호하는 배경음악, 조명 설정, 가상 공간의 레이아웃 등을 자동으로 조정하여 사용자가 보다 편안하고 개인에게 맞는 환경에서 활동할 수 있도록 도와줍니다.

개인화된 가상 상품 및 서비스 제공: 인공지능은 사용자의 구매 기록, 관심사 등을 분석하여 개인에게 맞는 가상 상품 및 서비스를 제공합니다. 이를 통해 사용자들은 가상 환경에서도 자신에게 필요한 제품이나 서비스를 구매하고 이용할 수 있습니다.

개인화된 가상 학습 경험: 인공지능은 사용자의 학습 습관과 학습 수준을 분석하여 맞춤형 학습 경험을 제공합니다. 사용자들은 자신에게 맞는 학습 콘텐츠, 학습 속도, 학습 방식 등을 선택하여 가상 환경에서 효과적으로 학습할 수 있습니다.

인공지능을 활용한 메타버스 개인화는 사용자들에게 맞춤형 경험을 제공하고, 더욱 효과적인 상호작용과 참여를 도모합니다. 개인화는 사용자들의 만족도를 높이고 메타버스의 활성화와 성장에 기여하는 중요한 요소입니다. 인공지능 기술의 발전과 함께 개인화 기능은 더욱 발전하고 다양해질 것으로 예상됩니다.

인공지능을 활용한 메타버스 사용자 경험 개선

첫째로, 인공지능은 사용자의 선호도와 행동 패턴을 학습하여 개인 맞춤형 콘텐츠 추천을 제공할 수 있습니다. 메타버스는 다양한 콘텐츠와 활동이 존재하기 때문에 사용자들이 원하는 콘텐츠를 찾기 어려울 수 있습니다. 하지만 인공지능은 사용자의 과거 행동 데이터, 관심사, 평가 등을 분석하여 사용자에게 가장 관련성이 높은 콘텐츠를 추천할 수 있습니다. 이를 통해 사용자는 보다 개인화된 경험을 할 수 있으며, 새로운 콘텐츠를 발견하고 관심 있는 활동에 참여할 수 있습니다.

둘째로, 인공지능은 메타버스 내에서 사용자의 요구에 대한 실시간 응답을 제공할 수 있습니다. 사용자가 메타버스에서 특정 정보를 찾거나 도움이 필요한 경우, 인공지능 기반의 가상 어시스턴트 또는 챗봇이 사용자의 질문에 대답하고 필요한 지침을 제공할 수 있습니다. 이를 통해 사용자는 보다 빠르고 효과적으로 필요한 정보를 얻을 수 있으며, 초기 학습 곡선을 더욱 완만하게 만들 수 있습니다.

셋째로, 인공지능은 가상 공간 내에서 사용자를 가이드하고 도와줄 수 있습니다. 메타버스는 복잡한 구조와 다양한 기능을 가지고 있기 때문에 새로운 사용자들은 어려움을 겪을 수 있습니다. 하지만 인공지능은 사용자에게 메타버스 내에서의 탐색과 활동 방법을 안내하고, 필요한 도움을 제공할 수 있습니다. 예를 들어, 가상 공간에서의 이동 방법, 상호작용 방법, 기능 사용 방법 등을 사용자에게 설명하고 안내할 수 있습니다. 이는 사용자들이 보다 쉽고 편리하게 메타버스를 이용할 수 있도록 도와줍니다.

넷째로, 인공지능은 사용자의 피드백과 평가를 분석하여 메타버스 서비스의 개선에 활용할 수 있습니다. 사용자들의 의견과 요구사항을 수집하고 분석함으로써 개선이 필요한 부분을 식별하고, 개인화된 서비스의 품질을 높일 수 있습니다. 또한, 인공지능은 사용자들의 행동 데이터를 분석하여 메타버스 디자인과 기능에 대한 인사이트를 도출할 수 있습니다. 이는 메타버스의 지속적인 발전과 사용자 경험의 향상에 기여합니다.

요약하자면, 인공지능을 활용한 메타버스 사용자 경험 개선은 사용자의 선호도에 기반한 개인 맞춤형 콘텐츠 추천, 실시간 응답 및 가이드, 사용자 피드백 분석을 통한 개선 등을 통해 이루어집니다. 이를 통해 사용자들은 보다 개인화된 경험과 편의성을 느낄 수 있으며, 메타버스의 사용성과 만족도가 높아질 것으로 예상됩니다.

5. 메타버스 내 자율 인공지능

강화학습과 자율 주행 등의 기술 적용

메타버스 내 자율 인공지능은 강화학습과 자율 주행 등의 기술을 적용하여 다양한 기능과 역할을 수행할 수 있습니다

강화학습은 인공지능이 환경과 상호작용하며 시행착오를 통해 학습하는 방법입니다. 메타버스 내 자율 인공지능은 강화학습을 활용하여 사용자와 상호작용하고, 다양한 과제를 수행할 수 있습니다. 예를 들어, 게임이나 가상 시뮬레이션을 통해 인공지능이 상황을 인식하고 의사 결정을 내릴 수 있습니다. 이를 통해 인공지능은 사용자와의 상호작용을 통해 지속적으로 학습하고 성능을 향상시킬 수 있습니다.

또한, 자율 주행 기술은 메타버스 내에서 인공지능이 가상 환경에서 자동차 또는 로봇 등을 자율적으로 운전하고 제어하는 기술입니다. 메타버스 내 자율 인공지능은 가상 환경에서 자율 주행 기술을 적용하여 다양한 차량이나 로봇이 스스로 경로를 탐색하고 장애물을 피해 이동할 수 있습니다. 이를 통해 메타버스 내에서 다양한 교통 시스템이나 로봇 활동을 자율적으로 수행할 수 있으며, 현실 세계와 유사한 환경을 구축할 수 있습니다.

강화학습과 자율 주행을 결합하면 메타버스 내에서 더욱 현실적이고 실제적인 상황에 대응할 수 있는 자율 인공지능이 가능해집니다. 예를 들어, 메타버스 내에서 자율 주행 차량이 도로 상황을 인식하고 신호에 따라 자동으로 운전하며, 사용자의 요구에 따라 목적지로 이동할 수 있습니다. 이를 통해 사용자는 메타버스 내에서 다양한 교통 수단을 이용하여 편리하게 이동할 수 있으며, 현실과 유사한 상황을 체험할 수 있습니다.

뿐만 아니라, 메타버스 내 자율 인공지능은 다른 기술과의 융합을 통해 더욱 다양한 기능을 수행할 수 있습니다. 예를 들어, 자율 주행과 음성 인식 기술을 결합하면 사용자가 음성 명령을 내리면 자동차가 그에 맞춰 움직이는 등의 상호작용이 가능해집니다. 또한, 감정 인식 기술과의 결합을 통해 메타버스 내 인공지능은 사용자의 감정을 이해하고 적절한 반응을 보일 수 있습니다.

자율 인공지능의 역할과 잠재력

메타버스 내 자율 인공지능의 잠재력은 거의 제한이 없습니다. 메타버스는 현실 세계의 제약과 제한을 벗어나 창의성과 상상력을 펼칠 수 있는 가상 공간이기 때문에, 자율 인공지능은 이러한 자유로운 환경에서 발전과 혁신을 이룰 수 있습니다. 예를 들어, 자율 인공지능은 예술, 디자인, 음악 등 다양한 창작 활동에 참여하여 새로운 작품을 만들어내거나, 과학, 의학, 환경 등의 분야에서 혁신적인 연구와 발견을 이끌어낼 수 있습니다.

또한, 메타버스 내 자율 인공지능은 가상 경제 시스템과의 상호작용을 통해 경제적인 가치를 창출할 수 있습니다. 인공지능은 가상 환경 내에서 상품과 서비스의 수요와 공급을 예측하고 관리함으로써 가상 경제의 균형을 유지하고, 경제 생태계의 성장과 번영을 도모할 수 있습니다.

그러나 이러한 잠재력과 가치를 실현하기 위해서는 윤리적인 고려와 적절한 규제가 필요합니다. 자율 인공지능의 활용이 개인 정보 보호, 공정성, 윤리적인 사용 등에 영향을 미칠 수 있기 때문에, 적절한 윤리적 가이드라인과 규제 체계가 마련되어야 합니다. 또한, 인공지능의 발전과 활용이 사회적 가치와 복지를 증진시키는 방향으로 이루어져야 하며, 인간 중심의 관점과 공정성을 고려해야 합니다. 이를 위해 인공지능과 메타버스의 개발과 사용에 대한 사회적인 논의와 협의가 필요합니다. 관련 이해 관계자들과 함께 윤리적인 가이드라인을 수립하고, 인공지능의 결정 과정의 투명성과 책임성을 강화하는 등의 조치를 취할 필요가 있습니다.

메타버스 내 자율 인공지능의 역할과 잠재력은 미래의 사회와 경제에 혁신적인 변화를 가져올 수 있는 가능성을 갖고 있습니다. 이러한 잠재력을 실현하기 위해서는 인공지능의 개발과 적용에 대한 윤리적인 고려와 규제, 사회적 합의가 필요합니다. 그리고 우리는 항상 인간 중심의 가치와 공정성을 고려하며, 인공지능과 메타버스의 발전을 지속적으로 모니터링하고 조절해야 합니다. 이를 통해 인공지능과 메타버스가 더욱 발전하고 사회적인 이익을 도모할 수 있는 미래를 만들어 나갈 수 있을 것입니다.

6. 인공지능과 메타버스의 윤리적 고려사항

개인 정보 보호와 데이터 이용 문제

개인 정보 보호: 인공지능과 메타버스는 사용자들의 개인 정보를 수집하고 처리하는데 사용됩니다. 이에 따라 개인 정보 보호와 관련된 문제가 발생할 수 있습니다. 사용자들의 개인 정보를 적절히 보호하고 안전하게 처리하기 위해 데이터 암호화, 접근 제한, 사용 동의 등의 기술과 정책이 필요합니다.

데이터 이용 문제: 인공지능과 메타버스는 다양한 데이터를 수집하여 분석하고 활용합니다. 그러나 이에 따라 데이터의 소유, 접근, 이용에 대한 문제가 발생할 수

있습니다. 데이터의 정확성, 정당성, 권한 등을 고려하여 데이터 이용에 있어서 윤리적인 원칙과 법적인 규제가 필요합니다.

인공지능 기술의 윤리적 사용과 규제

편향성과 공정성: 인공지능은 데이터에 기반하여 학습하고 판단을 내리는데, 이로 인해 편향성이 발생할 수 있습니다. 인공지능 기술의 개발과 사용에서 편향성을 최소화하고 공정성을 확보하기 위해 데이터의 다양성과 균형, 알고리즘의 투명성과 공정성을 고려해야 합니다.

인간과의 상호작용: 메타버스에서 인공지능은 사용자들과 상호작용하고 대화를 나눕니다. 이 때 인간과 인공지능 사이의 관계, 상호작용의 윤리적 측면을 고려해야 합니다. 인공지능의 역할과 한계를 명확히 정의하고, 인간의 자유와 자기결정권을 존중하는 방향으로 개발과 활용이 이루어져야 합니다.

규제와 투명성: 인공지능 기술의 발전과 사용은 적절한 규제와 투명성을 필요로 합니다. 기술의 목적과 사용 방법, 데이터 처리 방식 등에 대한 규제와 투명성은 인공지능의 윤리적 사용과 사회적 신뢰를 확보하는 데 필수적입니다. 인공지능과 메타버스의 개발과 사용에 대한 규제와 투명성은 다음과 같은 측면을 고려해야 합니다.

알고리즘 투명성: 인공지능의 내부 동작 방식과 의사결정 과정이 투명하게 공개되어야 합니다. 이를 통해 사용자들은 인공지능의 동작을 이해하고 그에 따라 적절한 조치를 취할 수 있습니다.

데이터 공유와 투명성: 데이터의 소유, 이용, 공유에 대한 규제와 투명성이 필요합니다. 사용자들의 개인 정보를 적절히 보호하고, 데이터 수집 및 이용 동의에 대한 명확한 규정을 마련해야 합니다.

윤리적 가이드라인: 인공지능과 메타버스의 개발과 사용에는 윤리적 가이드라인이 필요합니다. 인공지능이 인간의 가치와 윤리적 원칙을 존중하고, 사회적 공정성과 정당성을 고려하여 개발되고 활용되어야 합니다.

감사와 규제 기구: 인공지능과 메타버스의 개발과 사용에 대한 감사 및 규제 기구를 마련하여 적절한 규제와 통제를 할 수 있도록 해야 합니다. 이를 통해 개발자와 사용자의 권리와 책임을 보호하고, 사회적으로 수용 가능한 기준과 규범을 확립할 수 있습니다.

윤리적인 관점에서 인공지능과 메타버스의 발전과 사용은 사용자의 개인 정보 보호와 권리를 존중하며, 공정성과 투명성을 확보하는 책임이 따릅니다. 윤리적인 가이드라인과 규제를 통해 적절한 사용과 사회적 신뢰를 확보하는 데 최선을 다해야 합니다.

7. 인공지능과 메타버스의 미래 전망

기술 발전과 함께 예상되는 동향

강화학습과 자율 주행 기술의 발전:

강화학습과 자율 주행 기술은 메타버스 내에서 더욱 발전할 것으로 예상됩니다. 강화학습 알고리즘은 가상 캐릭터들이 현실과 유사한 학습과 행동을 수행할 수 있게 해주며, 자율 주행 기술은 가상 세계에서 실제 도로 상황과 유사한 환경에서 차량이 스스로 주행할 수 있는 기능을 제공할 것입니다.

응용 분야의 다변화:

인공지능과 메타버스는 다양한 응용 분야에서 활용될 것으로 예상됩니다. 교육 분야에서는 가상 강의와 학습 환경을 개발하여 개인 맞춤형 교육을 제공하고, 의료 분야에서는 가상 진단과 치료, 의료 영상 분석 등을 통해 진단과 치료 과정을 개선할 수 있을 것입니다. 또한, 엔터테인먼트 분야에서는 가상 현실(VR)과 증강 현실(AR) 기술을 활용하여 현실과 가상의 융합을 통해 새로운 경험을 제공할 것입니다.

디지털 콘텐츠의 창작과 공유:

메타버스는 창작과 공유의 중심지가 될 것으로 예상됩니다. 인공지능의 도움을 받아 창작자들은 더욱 창의적이고 다양한 콘텐츠를 생성하고 메타버스 내에서 공유할 수 있을 것입니다. 예를 들어, 가상 공간에서의 3D 모델링, 가상 의상 및 악세사리 디자인, 가상 캐릭터의 AI 동작 등을 통해 다양한 분야에서의 창작 활동이 더욱 증가할 것으로 기대됩니다. 이를 통해 창작자들은 자신의 작품을 전 세계와 공유하고, 새로운 수익 모델을 개발할 수 있을 것입니다.

가상 경제와 화폐 시스템의 발전:

메타버스는 가상 경제 시스템의 발전과 함께 더욱 혁신적인 경제 생태계를 형성할 것으로 예상됩니다. 가상 화폐 시스템을 통해 사용자들은 가상 환경 내에서 상품과 서비스를 거래하고 경제 활동을 할 수 있을 것입니다. 더 나아가, 블록체인 기술과의 융합을 통해 거래의 투명성과 보안성을 강화할 수 있으며, 가상 경제의 규모와 영향력이 증대될 것으로 전망됩니다.

윤리적 고려와 규제 강화:

인공지능과 메타버스의 발전과 사용에는 윤리적 고려와 규제의 강화가 필요합니다. 개인 정보 보호와 데이터 이용 문제, 편향성과 공정성 등에 대한 적절한 대응이 필요합니다. 윤리적 가이드라인과 규제 체계의 구축을 통해 인공지능과 메타버스의 발전이 사회적 가치와 공정성을 추구하는 방향으로 이루어져야 합니다. 또한, 기술의 사용자들의 권리와 자유를 보호하고, 개인정보 보호와 데이터 이용에 대한 명확한 규정을 마련해야 합니다.

종합적으로, 인공지능과 메타버스는 기술 발전과 함께 다양한 동향을 보일 것으로 전망됩니다. 강화학습과 자율 주행 기술의 발전, 응용 분야의 다변화, 디지털 콘텐츠의 창작과 공유, 가상 경제와 화폐 시스템의 발전은 미래의 인공지능과 메타버스가 어떻게 진화하고 혁신할지에 대한 힌트를 제공합니다. 그러나 이러한 발전과 함께 윤리적 고려와 규제의 필요성도 높아집니다. 개인 정보 보호와 데이터 이용, 윤리적 사용과 규제 등을 적절히 고려하여 안전하고 윤리적인 인공지능과 메타버스의 발전이 이루어질 수 있도록 해야 합니다.

협력과 혁신을 통한 새로운 가능성

협력과 혁신은 인공지능과 메타버스의 발전과 더불어 새로운 가능성을 열어줄 핵심적인 요소입니다. 이러한 요소들은 다양한 측면에서 혁신과 발전을 촉진하고, 사회와 경제에 새로운 가치를 창출할 수 있는 기회를 제공합니다

협력을 통한 새로운 창작과 혁신:

인공지능과 메타버스는 사용자와의 협력을 통해 새로운 창작과 혁신을 이끌어낼 수 있습니다. 사용자들과 인공지능이 협력하여 다양한 아이디어를 공유하고, 이를 바탕으로 새로운 콘텐츠를 창조하고 혁신적인 아이디어를 발전시킬 수 있습니다. 이러한 협력은 창작자들과 사용자들 간의 상호작용과 공동 작업을 촉진하여 더욱 창의적이고 다양한 결과물을 생산할 수 있게 합니다.

혁신적인 경험과 서비스의 제공:

인공지능과 메타버스의 발전은 혁신적인 경험과 서비스를 제공할 수 있는 가능성을 엽니다. 인공지능은 사용자의 취향과 요구를 이해하고, 개인화된 가상 환경 조정과 창작 과정에서 지원을 제공할 수 있습니다. 이를 통해 사용자들은 개인에 맞춤화된 경험과 서비스를 제공받을 수 있으며, 새로운 혁신적인 기능과 기술을 경험할 수 있습니다.

다양한 분야에서의 협업과 연결:

인공지능과 메타버스는 다양한 분야에서의 협업과 연결을 촉진합니다. 예를 들어, 예술가, 의료진, 교육자, 비즈니스 전문가 등 다양한 분야의 전문가들이 인공지능과

협력하여 새로운 아이디어를 발전시키고 혁신적인 솔루션을 창출할 수 있습니다. 이를 통해 다양한 지식과 경험이 결합되어 더욱 풍부하고 창의적인 결과물을 얻을 수 있습니다.

사회적 문제 해결을 위한 혁신:

인공지능과 메타버스의 혁신은 사회적 문제 해결을 위한 새로운 가능성을 제시합니다. 예를 들어, 교육 분야에서는 개인 맞춤형 교육을 제공하고, 교육 격차를 해소할 수 있는 기회를 제공할 수 있습니다. 의료 분야에서는 가상 진단과 치료, 원격 의료 서비스를 통해 지리적 제약을 극복하고 보다 효율적인 의료 서비스를 제공할 수 있습니다. 또한, 환경 보호와 관련된 문제에서도 인공지능과 메타버스는 데이터 분석과 모델링을 통해 환경에 대한 인식과 대응을 돕는데 활용될 수 있습니다.

창작 활동과 경제 생태계의 혁신:

인공지능과 메타버스는 창작 활동과 경제 생태계의 혁신을 이끌어낼 수 있습니다. 개인화된 창작 활동을 통해 예술가, 작가, 디자이너 등의 창작자들은 새로운 콘텐츠를 창조하고 다양한 수익 모델을 개발할 수 있습니다. 또한, 메타버스의 가상 경제 시스템은 사용자들이 가상 환경 내에서 상품과 서비스를 거래하고 경제 활동을 활발히 할 수 있게 합니다.

사회적 참여와 다양성의 확대:

인공지능과 메타비스의 혁신은 사회적 참여와 다양성의 확대를 가능하게 합니다. 메타버스는 지리적, 시간적 제약을 극복하고 사람들이 가상 공간에서 모여 다양한 활동을 할 수 있는 기회를 제공합니다. 이를 통해 사회적 참여가 증가하고, 다양한 인종, 성별, 문화적 배경을 가진 사람들이 협력하고 창작하는 플랫폼이 구축될 수 있습니다.

종합적으로, 협력과 혁신은 인공지능과 메타버스의 발전과 함께 새로운 가능성을 제시합니다. 협력을 통한 창작과 혁신, 혁신적인 경험과 서비스 제공, 다양한 분야에서의 협업과 연결, 사회적 문제 해결을 위한 혁신, 창작 활동과 경제 생태계의 혁신, 사회적 참여와 다양성의 확대 등 다양한 요소들이 사회와 경제에 새로운 가치를 창출하고 사회적 문제를 해결하는데 기여할 것입니다. 이를 통해 협력과 혁신은 사회와 경제의 지속적인 발전과 변화를 이끌어내는 역할을 수행할 것입니다.

또한, 협력과 혁신은 새로운 비즈니스 모델과 기회를 창출할 수 있는 가능성을 제시합니다. 인공지능과 메타버스를 활용하여 새로운 서비스와 제품을 개발하고 시장에 출시함으로써 새로운 수익원을 창출할 수 있습니다. 또한, 기존 산업과의 융합을 통해 새로운 시장을 개척하고 경쟁력을 강화할 수 있습니다.

8.인공지능과 메타버스의 잠재력과 가치 재확인

첫째, 인공지능은 빠르게 발전하고 있는 기술로써 다양한 분야에서 혁신적인 변화를 이끌어낼 수 있습니다. 인공지능은 많은 양의 데이터를 분석하고 패턴을 식별하는 능력을 갖추고 있어, 예측, 의사결정, 문제해결 등 다양한 작업을 수행할 수 있습니다. 이를 통해 생산성 향상, 비용 절감, 효율성 개선 등 다양한 가치를 창출할 수 있습니다.

둘째, 메타버스는 가상 공간에서 다양한 경험과 상호작용을 제공하는 혁신적인 플랫폼입니다. 메타버스는 현실 세계와는 별개의 가상 세계를 구축하여 사용자들에게 창의적인 활동과 상호작용의 기회를 제공합니다. 이를 통해 사용자들은 현실에서는 어려웠던 경험, 교류, 창작 등을 자유롭게 할 수 있으며, 사회적 참여와 다양성을 증진시킬 수 있습니다.

셋째, 인공지능과 메타버스는 상호작용과 융합을 통해 새로운 가치를 창출할 수 있습니다. 인공지능과 메타버스는 상호보완적인 관계를 형성하여 창작, 협업, 경제 활동, 문제 해결 등 다양한 분야에서 혁신과 발전을 이룰 수 있습니다. 예를 들어, 인공지능을 통해 메타버스 내에서 개인화된 서비스를 제공하거나, 메타버스 상에서 인공지능을 활용한 창작과 협업을 이끌어낼 수 있습니다. 이러한 상호작용과 융합은 새로운 비즈니스 모델과 기회를 창출하며, 사회와 경제의 발전을 이끌어낼 수 있습니다.

마지막으로, 인공지능과 메타버스의 잠재력과 가치는 지속적인 연구, 개발, 협력과 혁신을 통해 더욱 확대될 것으로 기대됩니다. 현재의 기술과 응용은 아직 발전의 초기 단계이며, 새로운 기회와 가능성이 계속해서 발견될 것입니다. 인공지능과 메타버스는 사회와 경제의 다양한 분야에서 혁신을 이루고, 새로운 가치를 창출할 수 있는 역할을 수행할 것입니다. 이를 위해서는 지속적인 연구와 개발, 산업간 협력이 필요하며, 윤리적인 측면과 규제에 대한 고려도 중요합니다.

인공지능과 메타버스는 사회와 경제를 변화시킬 수 있는 막대한 잠재력을 가지고 있습니다. 우리는 이러한 기술들이 혁신과 협력을 통해 새로운 문제에 대한 해결책을 제시하고, 경제적인 번영과 사회적인 진보를 이루어낼 수 있는 가능성을 가지고 있습니다. 그러나 동시에 우리는 적절한 윤리적 가이드라인과 규제 체계를 마련하여 이러한 기술들이 인간의 가치와 복지를 존중하면서 발전할 수 있도록 해야 합니다.

인공지능과 메타버스의 잠재력과 가치를 재확인하는 것은 우리가 현재와 미래의 기술적인 발전과 사회적인 변화에 대해 더 나은 이해와 인식을 가지는데 도움을 줍니다. 이를 통해 우리는 기술과 혁신의 발전이 사회와 개인에게 어떠한 영향을 미칠 수 있는지를 인식하고, 그에 따른 대응과 준비를 할 수 있습니다.

따라서, 인공지능과 메타버스는 지속적인 연구와 협력, 윤리적인 고려와 규제를 통해 더욱 발전하고 가치를 실현할 수 있는 기술이라고 말할 수 있습니다. 이러한 기술들의 발전은 우리 사회의 변화와 발전을 이끌어내며, 혁신적인 가능성과 가치를 실현하는데 큰 역할을 할 것입니다.

현대 사회에서의 디지털 혁신과 상호작용 -끝-

인공지능(AI)의 문제점 _ 이은선

1. 인공지능(AI) 소개

인공지능(Artificial Intelligence, AI)은 기계가 인간의 지능을 모방하게 하는 컴퓨터 과학의 한 분야입니다. 이는 학습(데이터로부터 패턴을 추출하는 능력), 추론(규칙을 사용하여 논리적인 결론을 도출하는 능력), 문제 해결(복잡한 상황에서 효과적인 해결책을 찾아내는 능력), 인지(환경에 대한 이해와 인식), 그리고 인간과 같은 기타 인지 작업을 포함합니다.

인공지능(AI)은 보통 아래에 두 가지 카테고리로 분류됩니다.

- 강한 인공지능(AI)(또는 일반 인공지능(AI))
  인간의 지능을 완전히 모방하거나 초월하는 인공지능(AI)을 말합니다. 강한 인공지능(AI)은 인간이 할 수 있는 모든 인지적 작업을 수행할 수 있습니다. 하지만 현재까지 이런 인공지능(AI)을 완전히 구현하는 데는 성공하지 못했습니다.

- 약한 인공지능(AI)(또는 특정 인공지능(AI))
  특정 작업(예: 음성 인식, 이미지 인식, 추천 시스템 등)을 수행하는 데 초점을 맞춘 인공지능(AI)입니다. 약한 인공지능(AI)은 학습과 패턴 인식 능력을 통해 개선되지만, 인간의 지능을 완벽히 복제하거나 이해하는 능력은 없습니다.

2. 인공지능(AI)의 이해

2.1. 인공지능(Artificial Intelligence, AI)의 기본 원리

기계나 소프트웨어가 사람처럼 학습하고, 문제를 해결하며, 판단하고, 이해하고, 상호작용할 수 있게 하는 것입니다. 이러한 원리는 크게 두 가지 주요 구성 요소로 나뉘는데, 머신러닝과 자연어 처리입니다.

- 머신러닝 (Machine Learning)
  컴퓨터에게 명시적인 명령 없이 학습할 수 있는 능력을 부여하는 인공지능(AI)의 핵심 원리입니다. 이는 통계적 방법을 사용하여 데이터에서 패턴을 찾고, 이 패턴을 기반으로 예측이나 결정을 만드는 데 사용됩니다. 머신러닝의 주요 유형에는 지도 학습, 비지도 학습, 강화 학습이 있습니다.

- 자연어 처리 (Natural Language Processing, NLP)
컴퓨터가 인간의 언어를 이해하고 생성하는 능력을 개선하는 인공지능(AI)의
핵심 원리입니다. 정보 검색, 기계 번역, 감성 분석, 음성 인식 등 다양한
응용분야에 사용됩니다.

2.2. 인공지능(AI)의 주요 분야와 응용 분야

인공지능(AI)은 광범위하며 현재로도 지속적으로 확장되고 있습니다. 다음은
몇 가지 인공지능(AI)의 주요 분야와 그 응용 예입니다.

- 머신러닝 (Machine Learning)
컴퓨터가 데이터로부터 학습하고 예측을 수행하는 기술입니다. 예를 들어,
이메일 필터링에서 스팸을 감지하거나, 신용 카드 사기를 탐지하는데
머신러닝이 사용될 수 있습니다.

- 딥러닝 (Deep Learning)
인공 신경망에 기반을 둔 머신러닝의 한 분야로, 음성 인식, 이미지 인식 등의
복잡한 문제를 해결하는데 사용됩니다. 예를 들어, 자율주행차는 주변 환경을
인식하고 결정을 내리는 데 딥러닝을 사용합니다.

- 자연어 처리 (Natural Language Processing, NLP)
컴퓨터가 인간의 언어를 이해하고 처리하는 능력을 개선하는 기술입니다.
가상비서 (예: Siri, Alexa, Bixby)는 사용자의 명령을 이해하고 응답하는데
자연어 처리(NLP)를 사용합니다.

- 컴퓨터 비전 (Computer Vision)
컴퓨터가 이미지나 비디오를 이해하는 능력을 향상시키는 기술입니다. 보안
카메라는 불법 행동을 감지하거나, 의료 이미징은 병리학적 변화를
감지하는데 컴퓨터 비전을 사용합니다.

- 강화 학습 (Reinforcement Learning)
기계가 환경과의 상호작용을 통해 최적의 행동을 학습하는 방법론입니다.
게임 (예: AlphaGo) 또는 로봇 제어 등에 강화 학습 방법이 사용될 수
있습니다.

- 로보틱스 (Robotics)
인공지능(AI)은 로봇이 인간의 작업을 수행하거나 복잡한 환경에서 동작하는
능력을 향상하는데 사용됩니다. 예를 들어, 제조업에서 인공지능(AI) 로봇은
생산 공정을 자동화하고, 의료 분야에서는 수술을 돕는 데 사용됩니다.

이 외에도 인공지능(AI)은 금융, 의료, 교육, 엔터테인먼트, 군사 등 거의 모든 분야에서 다양한 방식으로 이용되고 있습니다.

3. 인공지능(AI) 알고리즘의 편향성 문제

3.1. 인공지능(AI) 알고리즘 편향성

인공지능(AI) 알고리즘에 내재된 편향성은 중요한 문제로, 이는 알고리즘이 사용하는 학습 데이터에 기인하는 경우가 많습니다. 인공지능(AI)은 학습 데이터에 포함된 패턴을 학습하고 예측을 만들 때 이를 기반으로 합니다. 그러므로, 학습 데이터에 편향이 있으면, 알고리즘의 예측 또한 편향될 수 있습니다.

예를 들어, 인공지능(AI) 알고리즘이 인종, 성별, 연령 등의 특성을 기반으로 결정을 내릴 때, 학습 데이터에 이러한 특성을 가진 사람들에 대한 편향이 있으면, 그 결과는 불공정하거나 차별적일 수 있습니다. 이러한 문제는 채용, 대출 승인, 범죄 예방, 교육 등 다양한 분야에서 인공지능(AI)이 사용될 때 발생할 수 있습니다.

또한, 인공지능(AI)은 데이터에서 뽑아낸 패턴을 따르므로, 복잡하고 깊게 뿌리내린 사회적 편향을 재현하거나 강화할 수도 있습니다.

예를 들어, 인공지능(AI)이 역사적으로 특정 직업이 특정 성별에 의해 지배되었다는 패턴을 학습한다면, 이 직업에 대한 채용 추천에서 그 편향을 반영할 수 있습니다.

이러한 문제를 해결하기 위해선, 학습 데이터의 다양성을 높이고, 데이터에 편향이 반영되지 않도록 주의 깊게 데이터를 수집하고 처리해야 합니다. 또한, 알고리즘의 투명성을 향상시키고, 알고리즘이 내린 결정을 검토하고 수정할 수 있는 메커니즘이 필요합니다. 이는 공정한 인공지능(AI) 시스템을 만드는 데 있어 중요한 과제입니다.

3.2. 인공지능(AI) 알고리즘 편향성과 관련된 몇 가지 사례

- Amazon의 인력 채용 인공지능(AI)

2018년, 아마존은 자사의 채용을 돕기 위한 인공지능(AI) 시스템을 개발하였습니다. 그러나 이 시스템은 이력서의 텍스트 패턴을 학습하는 과정에서 성별 편향을 보였습니다. 이 시스템은 주로 남성 지원자들의 이력서를 분석하였기 때문에, 남성 지원자들을 선호하는 경향이 있었습니다. 결국, 아마존은 이러한 편향 때문에 이 시스템을 사용하는 것을 중단하였습니다.

- COMPAS 시스템

COMPAS는 범죄 재발 가능성을 평가하는 인공지능(AI) 시스템입니다. 그러나 이 시스템은 특정 인종에 대한 편향을 보였습니다. 특히, 아프리카계 미국인은 백인에 비해 높은 위험 점수를 받는 경향이 있었습니다. 이러한 편향은 결정에 영향을 미칠 수 있으며, 공정한 사법 시스템을 저해할 수 있습니다.

- 얼굴 인식 기술

인공지능(AI) 기반의 얼굴 인식 기술은 다양한 인종, 성별, 연령 그룹 간의 인식 정확도에 차이를 보일 수 있습니다. 예를 들어, MIT와 스탠포드 대학의 연구에 따르면, 상업용 얼굴 분석 소프트웨어는 백인 남성의 얼굴을 정확하게 분류하는 반면, 여성이나 어두운 피부색을 가진 사람들의 얼굴은 덜 정확하게 분류했습니다.

이러한 사례들은 인공지능(AI) 알고리즘에 편향이 어떻게 내재될 수 있는지, 그리고 이러한 편향이 실제 상황에서 어떤 영향을 미칠 수 있는지를 보여줍니다. 이 문제를 해결하기 위해서는, 개발 과정에서 편향을 식별하고 수정하는 방법, 그리고 인공지능(AI) 시스템의 결정에 대한 투명성을 높이는 방법을 계속 연구하고 적용해 나아가야 한다는 사실을 보여줍니다.

4. 인공지능(AI) 데이터와 프라이버시 문제

4.1. 인공지능(AI) 데이터 수집과 프라이버시 침해 문제

인공지능(AI)은 데이터에 근거하여 작동합니다. 그래서 인공지능(AI) 시스템이 유용하고 효과적인 결정을 내리려면, 그것이 처리하고 분석할 수 있는 대량의 데이터가 필요합니다. 이러한 데이터는 사용자의 행동, 개인정보, 구매 패턴, 의료 기록 등 다양한 형태를 가질 수 있습니다.

그러나 이런 방대한 데이터의 수집과 사용은 프라이버시와 개인정보 보호에 대한 중요한 문제를 제기합니다. 이러한 문제는는 사용자의 프라이버시를 심각하게 침해하고 개인적, 금융적 손해를 초래할 수 있습니다.

다음은 인공지능(AI) 데이터를 수집 할 때 나타나는 몇 가지 문제들입니다.

- 데이터 수집
  인공지능(AI) 애플리케이션은 사용자로부터 데이터를 수집할 때 종종 투명성이 부족합니다. 사용자들은 자신의 데이터가 어떻게, 언제, 어디서 수집되고 있는지 명확하게 이해하지 못하며, 이 데이터가 어떻게 사용되고 있는지 알 수 없을 수 있습니다.

- 데이터 공유
  수집된 데이터는 종종 원래의 목적을 벗어나 다른 사람이나 기관과 공유되거나 판매되기도 합니다. 이로 인해 사용자의 개인정보가 무단으로 공개되거나 노출될 위험이 있습니다.

- 데이터 보안
  수집된 데이터는 해킹, 데이터 유출, 신원 도용 등의 위험에 노출될 수 있습니다.

- 데이터 오용
  수집된 데이터는 사용자를 차별하거나 공정하지 않은 방식으로 대우하는 데 사용될 수 있습니다. 예를 들어, 인공지능(AI) 시스템이 편향된 데이터에 기반하여 불공정한 의사결정을 내릴 수 있습니다.

이런 이유로, 데이터 수집과 사용에 대한 적절한 규제와 정책, 그리고 이를 실행하고 모니터링하는 강력한 체계가 필요하다고 생각합니다. 또한, 인공지능(AI) 개발자와 서비스 제공자는 이러한 문제를 인식하고, 사용자의 프라이버시를 존중하고 보호하는 방법을 찾아야 한다고 생각합니다.

인공지능(AI)이 점점 더 복잡해지고 널리 사용되면서, 이에 대한 규제는 늘어나고 있지만 여전히 많은 문제가 남아 있습니다.

4.2. 데이터 보호법과 규제의 부재에 따른 문제

인공지능(AI)데이터 관련 규제의 부재는 다음과 같은 문제를 야기할 수도 있다고 생각합니다.

- 데이터 miss use
  개인정보를 포함한 데이터의 부적절한 사용은 심각한 프라이버시 침해를 초래할 수 있습니다. 또한, 이는 사용자에게 손해를 끼치거나 불공정한 결정을 내릴 수 있습니다.

- 투명성의 부족
  인공지능(AI)의 의사결정 과정은 종종 "블랙박스"로 묘사됩니다. 이는 시스템이 어떻게 결정을 내리는지 이해하기 어렵거나 불가능하다는 것을 의미합니다. 이로 인해 사용자는 시스템이 공정하고 정확하게 작동하는지 확인할 수 없을 수 있습니다.

- 편향과 차별
  인공지능(AI) 시스템은 편향된 데이터에 기반하여 편향된 결정을 내릴 수 있습니다. 이는 특정 그룹을 차별하거나 불이익을 주는 결과를 초래할 수 있습니다.

이러한 문제를 해결하기 위해, 여러 국가와 국제기구는 인공지능(AI) 규제에 대한 기준을 설정하려는 노력을 하고 있습니다. 유럽연합은 2021년에 인공지능(AI) 시스템에 대한 규제안을 발표하였으며, 이는 데이터 보호와 프라이버시, 투명성, 공정성 등에 중점을 두고 있습니다.

그러나, 인공지능(AI)은 빠르게 발전하고 변화하는 기술이기 때문에, 이에 대한 규제는 항상 최신 상태를 유지해야 하지만 현실은 힘든상황입니다. 또한, 국가마다 규제가 다르기 때문에, 국제적으로 일관된 표준과 법률을 수립하는 것이 가장 중요하다고 생각합니다. 마지막으로, 규제만으로는 충분하지 않다고 생각합니다. 인공지능(AI) 개발자와 사용자 모두가 이러한 문제를 인식하고, 프라이버시와 공정성을 존중하는 인공지능(AI)을 설계하고 사용하는 데 중요한 역할을 담당해야 한다고 생각합니다.

5. 인공지능(AI)의 보안 위협

5.1. 사이버 보안과 인공지능(AI) 알고리즘

사이버 보안은 인공지능(AI)의 주요 적용 분야 중 하나이며, 인공지능(AI)은 사이버 보안을 강화하는 데 크게 기여할 수 있습니다.

- 위협 탐지와 대응
  인공지능(AI)은 패턴 인식과 머신 러닝 능력을 활용하여 이상 행동이나 악성 코드를 빠르게 식별하고 분석할 수 있습니다. 인공지능(AI)은 대규모 네트워크 로그 데이터를 분석하고, 정상적인 행동과 의심스러운 행동을 구분하는 데 유용합니다. 발견된 위협에 대한 신속한 대응은 공격이 확산 되기 전에 방어할 수 있게 합니다.

- 예측 모델링

  인공지능(AI)은 머신 러닝과 데이터 분석을 사용하여 과거의 사이버 공격 패턴을 학습하고, 이를 바탕으로 미래의 사이버 위협을 예측할 수 있습니다. 이를 통해 보안 팀은 사전에 방어 전략을 세울 수 있으며, 잠재적인 공격에 대비할 수 있습니다.

- 자동화 및 효율성

  인공지능(AI)은 반복적이고 기술적인 작업을 자동화하며, 이는 시간과 자원을 절약하고 사람의 실수를 줄여줍니다. 예를 들어, 인공지능(AI)은 악성 코드 분석, 보안 패치 적용, 시스템 설정 조정 등의 작업을 자동화할 수 있습니다.

다음과 같은 방법을 이용하면 인공지능(AI)을 활용하여 사이버 공격을 빠르게 탐지하고, 이에 대응하며, 보안 위협을 예방할 수 있습니다

5.2. 인공지능(AI)을 이용한 공격과 방어

인공지능(AI)은 사이버 보안 분야에서 두 가지의 중요한 역할을 수행할 수 있다고 생각해 볼 수 있습니다.

하나는 공격자로서의 역할, 다른 하나는 방어자로서의 역할입니다.

- 인공지능(AI)를 이용한 공격에는 다음과 같은 예를 들 수 있습니다.

  1. 자동화된 공격: 인공지능(AI)을 이용하면 공격자들은 속도와 규모를 증가시켜 전통적인 보안 방법을 우회하는 공격을 실행할 수 있습니다. 이는 스팸 이메일, 악성 코드 배포, 자동화된 사회 공학 공격 등 다양한 형태의 공격에 이용될 수 있습니다.

  2. 공격 타겟 선택: 인공지능(AI)은 빅데이터 분석을 통해 가장 취약한 시스템이나 사용자를 식별하는 데 도움이 될 수 있습니다. 이는 공격자들이 보안이 약한 목표를 찾아내는 데 도움이 됩니다.

  3. 고도화된 위협 생성: 인공지능(AI)은 공격자가 더욱 정교하고 변화하는 위협을 만들 수 있게 합니다. 예를 들어, 인공지능(AI)은 악성코드를 다양하게 변화시켜 기존의 악성코드 패턴에 기반한 보안 시스템을 회피할 수 있게 만듭니다.

- 인공지능(AI)을 이용한 방어에는 다음과 같은 예를 들 수 있습니다.

1. 위협 탐지와 대응: 인공지능(AI)은 패턴 인식 능력을 활용해 이상 행동이나 악성 코드를 신속하게 식별하고 분석하는데 유용합니다. 빅데이터를 분석하고 정상적인 행동과 의심스러운 행동을 구분하며, 발견된 위협에 신속하게 대응합니다.

2. 예측적 보안: 인공지능(AI)은 과거의 공격 패턴을 학습하고, 이를 바탕으로 미래의 위협을 예측하는데 사용될 수 있습니다. 이를 통해 보안 팀은 사전에 방어 전략을 세울 수 있습니다.

3. 보안 자동화: 인공지능(AI)은 반복적이고 기술적인 보안 작업을 자동화하며, 이를 통해 시간과 자원을 절약하고 사람의 실수를 줄입니다.

인공지능(AI)은 사이버 보안에 강력한 도구로 작용하기 위해서는 이를 적절하게 관리하고 제어하는 것이 중요합니다.

그러나, 인공지능(AI)을 사용한 사이버 보안은 몇 가지 독특한 문제점을 가지고 있습니다. 인공지능(AI) 시스템은 잘못된 학습 데이터로 인해 잘못된 판단을 할 수도 있고, 인공지능(AI) 알고리즘 자체가 공격 대상이 될 수도 있습니다. 또한, 인공지능(AI)은 고도로 복잡한 사이버 위협을 완벽하게 예측하거나 이해하지 못할 수도 있습니다. 이러한 문제를 해결하기 위해, 인공지능(AI)과 보안 전문가가 협력하며, 인공지능(AI) 시스템의 학습과 행동을 지속적으로 모니터링하고 수정해야 인공지능(AI)을 사용한 사이버 보안문제를 해결하고 사이버 보안에 강력한 도구로 작용할 수 있을것이라고 생각합니다.

6. 인공지능(AI)의 오용 가능성

6.1. 인공지능(AI)의 오용 가능성

인공지능(AI)은 많은 잠재력을 가지고 있지만, 오용될 가능성이 무수히 존재합니다. 이러한 오용은 개인정보 침해, 사회적 편향, 사이버 범죄 등 다양한 형태를 보입니다. 몇 가지 인공지능(AI)의 오용 가능성과 관련된 주요 사항을 다뤄보겠습니다.

- 개인정보 침해

인공지능(AI)은 대량의 데이터를 분석하고 처리하는 데 탁월한 능력을 가지고 있습니다. 이로 인해 개인정보가 무분별하게 수집되고 사용될 수 있습니다. 예를 들어, 행동 패턴, 구매 이력, 위치 정보 등을 추적하고 분석하여 개인에 대한 깊은 이해를 도출하는 경우가 있습니다. 이러한 정보는 개인의 프라이버시를 침해하거나, 광고 또는 타겟 마케팅 목적으로 부적절하게 사용될 수 있습니다.

- 사회적 편향의 증폭
  인공지능(AI)은 학습 데이터에 포함된 편향을 재현하거나 확대할 수 있습니다. 예를 들어, 인종, 성별, 연령 등에 대한 편향이 포함된 데이터를 기반으로 인공지능(AI)을 훈련하는 경우, 이러한 편향은 인공지능(AI)의 예측 및 추천에 반영될 수 있습니다. 이는 심각한 사회적 불공정을 초래할 수 있습니다.

- 사이버 범죄
  인공지능(AI)은 공격자가 보안 시스템을 우회하거나, 보다 정교하고 효과적인 공격을 수행하는 데 사용될 수 있습니다. 이러한 공격은 개인과 조직에게 심각한 손해를 입힐 수도 있습니다. 또한, 인공지능(AI)은 속임수나 사기를 수행하기 위한 도구로 사용될 가능성도 있습니다.

이와 같은 문제를 방지하려면, 인공지능(AI)의 사용에 대한 강력한 규제와 윤리적 가이드라인이 필요하다고 생각합니다. 또한, 인공지능(AI) 기술을 개발하고 사용하는 사람들은 이러한 문제에 대한 인식을 높이고, 적절한 해결책을 찾아야 한다고 생각합니다.

6.2. 딥페이크와 정보조작

인공지능(AI)의 오용 가능성 중에서 가장 대표적인 예로 들 수 있는 것이 딥페이크라고 생각합니다.

딥페이크는 "Deep Learning"과 "Fake"를 결합한 용어로, 인공지능(AI)을 이용하여 사람의 얼굴이나 목소리를 매우 정교하게 조작하는 기술을 의미합니다. 딥페이크는 영상, 음성, 이미지 등 다양한 미디어에서 사용될 수 있으며, 실제와 구별하기 어려울 정도로 현실적인 결과물을 만들어냅니다.

딥페이크의 가장 큰 문제 중 하나는 정보조작이 가능하다는 것입니다.

예를 들어, 공적인 자리에서 한 발언을 왜곡하거나, 유명인의 얼굴을 이용한 가짜 성인 영상을 만드는 등의 조작이 가능합니다. 이는 개인의 명예를 훼손하거나, 사람들의 의사결정을 왜곡하거나, 대중을 기만하는데 이용될 수 있습니다.

실제로, 정치인들의 발언이나 행동을 왜곡한 딥페이크 영상이 퍼져서 사회적 혼란을 일으킨 사례가 있습니다. 또한, 딥페이크는 사기나 기만에 이용될 수도 있습니다. 예를 들어, 피싱 공격에서는 딥페이크를 이용하여 신뢰할 수 있는 사람으로 위장하여 개인정보를 빼내거나, 금전을 요구하는 경우가 있습니다.

이를 방지하고 대응하기 위해, 딥페이크 탐지 기술이 점점 더 중요해지고 있습니다. 이는 딥페이크 영상의 미묘한 특징을 찾아내는 인공지능(AI) 알고리즘을 사용합니다.

6.3. 인공지능(AI)의 무기화

인공지능(AI)의 오용 가능성 중 또다른 예로는 인공지능(AI)의 무기화라고 생각합니다.

인공지능(AI)의 무기화는 과학과 군사 전략을 넘나드는 큰 논란입니다. 인공지능(AI) 기술이 군사적인 용도로 적용되면 전통적인 전투 방식에 혁신적인 변화를 가져올 수 있지만, 동시에 심각한 윤리적 문제와 위험성을 야기할 수 있습니다.

인공지능(AI) 기반 무기는 다양한 형태를 가질 수 있기 때문에 여러가지 인공지능(AI) 무기의 종류와 사용을 생각해 볼 수 있습니다.

예를 들어, 자율 무기 시스템(LAWS: Lethal Autonomous Weapons Systems)은 타겟을 탐지, 추적, 공격하는 과정을 인간의 개입 없이 스스로 수행하는 무기입니다. 드론, 로봇, 미사일 등에 적용되며, 더 빠르고 정확한 대응을 가능하게 합니다.

또한, 인공지능(AI)은 사이버 전략의 중요한 구성 요소로 작용합니다. 공격적인 인공지능(AI) 알고리즘은 적의 네트워크를 해킹하거나, 사이버 공격을 방어하는 데 사용될 수 있습니다.

인공지능(AI) 무기의 문제점과 위험성을 다음과 같이 생각해 볼 수도 있습니다.

- 윤리적 문제

인공지능(AI) 무기의 사용은 중대한 윤리적 이슈를 야기할것입니다. 인간의
삶을 인공지능(AI)의 판단에 맡기는 것은 윤리적으로 수용할 수 있는가?
인공지능(AI)이 군사적인 결정을 내릴 때, 적절한 판단을 할 수 있는가? 이는
로보트 윤리학에 대한 깊은 논의를 필요로 합니다.

- 책임의 모호성
  인공지능(AI) 무기가 실수를 범하거나 예상치 못한 행동을 할 경우, 그 책임은
  누구에게 돌아가는지가 불명확합니다. 이는 책임의 원칙을 훼손하며, 법적인
  문제를 일으킬 수 있습니다.

- 무기의 오남용
  인공지능(AI) 무기는 잘못된 손에 들어가면 대량 살상 무기로 사용될 수
  있습니다. 테러리스트나 범죄 조직이 이러한 기술을 획득하면 대량의 인명
  피해를 일으킬 수 있습니다.

인공지능(AI)의 무기화에 대한 국제적인 협약 및 규제가 필요하며, 이를 통해
이러한 문제와 위험성을 최소화하는 것이 중요하다고 생각합니다.

7. 인공지능(AI) 규제와정책

7.1. 인공지능(AI) 규제 필요성

올바른 인공지능(AI)을 사용하기 위해서는 인공지능(AI) 규제가 필요하다고
생각합니다.

인공지능(AI)은 우리의 일상생활, 산업, 사회 전반에 광범위하게 활용되고
있습니다. 그러나 이러한 빠른 발전과 확산은 동시에 여러 문제와 위험성을
야기하고 있습니다. 이에 따라 인공지능(AI)에 대한 적절한 규제가
필요하다고 생각하는 근거는 다음과 같습니다.

- 데이터 프라이버시와 보안
  인공지능(AI) 시스템은 대량의 데이터를 수집하고 처리하는데, 이 과정에서
  개인의 프라이버시를 침해하거나 데이터가 노출되는 문제가 발생할 수
  있습니다. 사용자의 개인정보를 적절하게 보호하고, 데이터를 안전하게
  관리하는 방법에 대한 규제가 필요합니다.

- 알고리즘의 투명성과 공정성

인공지능(AI) 알고리즘이 어떻게 결정을 내리는지 이해하거나 설명하는 것은 종종 어렵습니다. 이는 인공지능(AI)의 결정 과정에 대한 투명성을 야기하며, 알고리즘의 편향성이나 불공정함을 증가시킬 수 있습니다. 인공지능(AI) 알고리즘의 투명성과 공정성을 보장하고, 편향성을 최소화하는 규제가 필요합니다.

- 인공지능(AI)의 무기화와 오남용
  인공지능(AI)은 군사적인 용도로 사용되거나, 범죄에 이용될 수 있습니다. 인공지능(AI) 기술이 잘못된 손에 들어가서 오남용되는 것을 막는 규제가 필요합니다.

- 책임과 책임소재의 모호성
  인공지능(AI) 시스템이 실수를 범하거나 예상치 못한 행동을 할 경우, 그 책임은 누구에게 돌아가는지가 불명확합니다. 인공지능(AI)의 오작동이나 사고에 대한 책임 규명과 책임소재의 명확한 표시와 규제가 필요합니다.

이러한 문제와 위험성을 최소화하고 인공지능(AI) 기술의 건강한 발전을 돕기 위해, 국가와 국제적 수준에서의 규제와 법적인 논의가 활발히 진행되어야 합니다. 또한, 인공지능(AI) 개발자와 사용자가 윤리적인 가이드라인을 준수하고, 인공지능(AI) 기술의 영향을 사전에 고려하도록 장려하는 것이 중요하다고 생각합니다,

7.2. 국내외 인공지능(AI)관련 정책 현황

국내외 인공지능(AI) 관련 정책 현황에 대해서 알아보겠습니다.

인공지능(AI)의 발전은 전 세계적으로 많은 관심을 받고 있으며, 여러 국가에서는 인공지능(AI)을 발전시키고 그 이슈를 관리하기 위한 다양한 정책을 수립하고 있습니다. 2023년 현재에도 각 나라의 정책은 계속 진행 중이며, 이러한 정책은 국가의 전략적인 목표와 현실적인 제약 사항에 따라 크게 다를 수 있습니다. 아래에서 몇 가지 예시를 들어 보겠습니다. (단, 정보의 구체성과 최신성은 제한적일 수 있습니다.)

- 미국
  미국은 인공지능(AI) 분야에서 세계를 선도하고 있으며, 민간 섹터에서의 혁신을 중심으로 인공지능(AI) 기술을 발전시키고 있습니다. 또한, 인공지능(AI)의 민관 협력을 통한 연구와 개발을 촉진하기 위한 다양한 정책을 구축하고 있습니다. 2019년에는

"American 인공지능(AI) Initiative"를 발표하여 인공지능(AI)의 연구, 투자, 규제 개혁 등을 추진하였습니다.

- 중국
  중국은 인공지능(AI)을 국가 전략의 중심에 두고 있으며, 2030년까지 세계에서 가장 진보된 인공지능(AI) 산업을 구축하려는 계획을 세우고 있습니다. 중국은 대규모의 데이터 수집 및 활용, 강력한 정부 주도의 지원, 산학연 협력 등을 통해 인공지능(AI)의 빠른 발전을 추진하고 있습니다.

- 유럽 연합(EU)
  유럽연합(EU)은 인공지능(AI)의 윤리적 사용과 데이터 프라이버시 보호를 중점적으로 다루고 있습니다. 2018년에는 인공지능(AI)에 대한 윤리 가이드라인을 발표하였고, 인공지능(AI)의 발전을 촉진하면서도 그에 따른 사회적 위험을 최소화하기 위한 다양한 정책을 수립하고 있습니다.

- 대한민국
  대한민국은 "한국형 인공지능(AI) 전략"을 발표하였으며, 인공지능(AI) 핵심 기술 개발, 인공지능(AI) 인재 양성, 데이터 구축 및 활용 등을 통해 인공지능(AI) 산업의 경쟁력을 강화하려는 계획을 세우고 있습니다. 또한, 2020년에는 국가인공지능전략의 일환으로 '데이터 3법'을 개정하여 데이터의 안정적인 유통과 이용을 도모하고 있습니다.

각 국가의 정책은 인공지능(AI)의 발전 동향, 사회적 이슈, 법적 문제 등 다양한 요소를 고려하여 수립되며, 인공지능(AI) 기술의 빠른 발전에 따라 지속적으로 업데이트되고 있습니다.

8. 인공지능(AI) 미래전망

8.1. 인공지능(AI)의 미래에 대한 전망과 기대

인공지능(AI)의 미래에 대한 전망은 다양하고고, 인공지능(AI)의 발전은 우리의 일상생활, 산업, 사회 전반에 걸쳐 심도 있는 변화를 가져올 것으로 예상됩니다. 다음은 미래 인공지능(AI)의 대한 몇 가지 전망입니다.

- 인공지능(AI) 통합
  인공지능(AI) 기술은 다양한 산업과 서비스에 통합되어, 더욱 맞춤화된 사용자 경험을 제공하게 될 것입니다. 이는 헬스케어, 교육, 물류, 제조 등 다양한 분야에서 이루어질 것으로 예상됩니다.

- 인공 일반 지능(AGI)의 발전
  인공 일반 지능(AGI)은 여러가지 일을 할 수 있는 인공지능(AI), 인간의 지능을 모방하거나 능가하는 것을 목표로 합니다. 현재는 아직 초기 단계에 있지만, 이 분야의 연구와 개발이 계속 진행되면서 인공 일반 지능(AGI)의 실현이 가능해질 수 있습니다.

- 윤리와 규제의 중요성 증가
  인공지능(AI)의 발전은 데이터 프라이버시, 알고리즘 투명성, 무기화, 책임소재 등 다양한 윤리적이고 법적인 문제를 야기합니다. 이에 따라 인공지능(AI)의 윤리와 규제에 대한 이슈가 더욱 중요해질 것으로 예상됩니다.

- 인간과 인공지능(AI)의 협력 강화
  공지능(AI)은 인간의 작업을 보조하고, 인간의 능력을 확장하는 데 사용될 것입니다. 이를 통해 인간과 인공지능(AI)의 협력이 강화되면서, 더 효율적이고 창의적인 결과를 도출할 수 있을 것입니다.

- 데이터 보안과 사이버 보안의 중요성 증가
  인공지능(AI)은 대량의 데이터를 수집하고 처리하는데, 이러한 데이터는 개인 정보를 포함하거나, 사업의 중요한 정보를 담고 있을 수 있습니다. 이에 따라, 데이터 보안과 사이버 보안의 중요성이 증가할 것으로 예상됩니다.

미래에는 다양한 산업과 사회적 영역에서 인공지능(AI) 기술의 발전과 적용이 예상되고 있습니다

1. 자율 주행 및 로봇 기술 발전
자율 주행 차량, 드론 및 로봇 기술은 계속해서 발전할 것으로 예상됩니다. 인공지능(AI)은 센서 데이터를 분석하고 의사결정을 내리는 능력을 통해 보다 안전하고 효율적인 자율 주행 시스템을 구현하는 데 중요한 역할을 할 것입니다.

2. 의료 진단 및 치료 지원

인공지능(AI)은 의료 분야에서 많은 혁신을 가져올 것으로 예상됩니다. 의료 영상 분석, 질병 진단, 약물 개발 등 다양한 분야에서 인공지능(AI)은 의료 전문가들에게 지원을 제공하고 정확성과 효율성을 향상 시킬 수 있을 것입니다.

3. 개인화된 경험
인공지능(AI)은 우리의 개인화된 경험을 향상 시킬 것으로 예상됩니다. 음악, 영화, 쇼핑 등 다양한 영역에서 개인의 취향과 관심사를 이해하고 그에 맞는 추천을 제공하는 개인 비서 및 애플리케이션이 등장할 것입니다.

4. 자연어 이해와 대화
인공지능(AI)의 자연어 처리 능력은 계속해서 향상될 것입니다. 이는 인간과 기계 간의 자연스러운 대화를 가능케 하며, 고객 서비스, 상담, 교육, 정보 검색 등 다양한 분야에서 혁신을 가져올 수 있습니다.

5. 지능형 자동화
인공지능(AI)은 더욱 복잡한 작업과 업무를 자동화할 수 있는 능력을 향상 시킬 것입니다. 기계 학습, 자동화 및 프로세스 최적화를 통해 생산성을 향상 시키고 인간의 창의성과 전략적 사고에 더 많은 시간과 자원을 할애할 수 있게 될 것입니다.

8.2. 현재 발견된 인공지능(AI) 문제점의 해결방안

인공지능(AI)이 빠르게 발전하는 현재 상황에서 몇 가지 고려해야 할 사항도 있습니다. 여기에는 개인 정보 보호, 윤리적인 사용, 인간의 역할 및 고용의 변화 등이 포함됩니다. 현재 발견된 인공지능(AI)의 주요 문제점과 해결방안은 다음과 같다고 생각합니다.

- 데이터 프라이버시
  사용자의 개인 데이터 보호와 관련된 법적 규제를 강화하는 것이 중요합니다. 또한, 인공지능(AI) 시스템 개발자는 최소한의 데이터만을 수집하고 이를 안전하게 보관하는 "개인정보 최소화" 원칙을 따라야 합니다. 이를 위해 인공지능(AI)을 설계하는 단계에서부터 프라이버시를 고려하는 "프라이버시 바이 디자인" 원칙이 적용될 수 있습니다.

- 편향성

인공지능(AI)의 편향성은 데이터와 알고리즘에 의해 발생합니다. 이를 해결하기 위해 다양한 배경과 경험을 가진 사람들이 팀에 참여하여 다양성을 보장하고, 편향을 확인하고 수정할 수 있는 공정한 툴과 기술을 개발해야 합니다.

- 투명성과 설명 가능성
  인공지능(AI)의 결정 과정을 이해하고 설명하는 것은 매우 중요합니다. 이를 위해 "설명 가능한 인공지능(AI)"의 개발이 중요하며, 이는 인공지능(AI)의 결정 과정을 인간이 이해할 수 있는 형태로 제공하는 연구 분야입니다.

- 안전성과 보안성
  인공지능(AI) 시스템의 안전성과 보안성을 중요한 문제로, 인공지능(AI)이 예측 가능하고 제어 가능한 방식으로 동작해야 합니다. 이를 위해 안전성 연구와 보안 연구를 강화해야 하며, 특히 인공지능(AI)이 잠재적으로 위험한 활동을 수행하려는 경우 이를 제한하는 "안전한 사용" 메커니즘을 개발해야 합니다.

- 규제와 윤리
  인공지능(AI)의 빠른 발전과 확산에 따라 적절한 규제와 윤리 가이드라인이 필요합니다. 이를 위해 공공 정책 및 기업의 내부 정책은 인공지능(AI)의 사용을 규제하며, 인공지능(AI)의 윤리적 사용을 지향해야 합니다. 이러한 노력은 국가와 국제적 수준에서 진행되어야 합니다.

이러한 과제들을 극복하고 인공지능(AI)의 잠재력을 최대한 활용하기 위해서는 정책, 규제 및 윤리적인 가이드라인을 개발하고 적용하는 것이 중요합니다.

미래에는 인공지능(AI)의 규제 및 윤리적인 가이드라인이 만들어져서 기술적인 발전과 혁신을 통해 좀 더 다양한 분야에서 사용될 것이며, 이를 통해서 지금보다 더 나은 사회를 이룰 수 있도록 도와줄거라고 예상합니다. 우리의 일상과 사회의 여러 측면에 긍정적인 영향을 줄 수 있으며, 우리가 인공지능(AI)과 협력하여 더 나은 미래를 구축하는 데 기여할 수 있는 기회를 제공 할 수 있을거라고 생각합니다.

인공지능(AI)의 문제점 -끝-

인공지능의 윤리교육 임선희

서론

0.1. 인공지능이란 무엇인가?

0.2. 우리 일상 속의 인공지능 예시

0.3. 인공지능 윤리 교육이 중요한 이유

인공지능 이해하기

1.1. 인공지능의 기본 개념

1.2. 인공지능의 작동 원리

1.3. 인공지능이 우리 생활에 어떻게 영향을 미치는가?

인공지능과 윤리

2.1. 인공지능이 만들어내는 문제점들

2.2. 인공지능과 개인 정보

2.3. 인공지능의 결정과 윤리

인공지능 윤리 교육의 필요성

3.1. 우리가 왜 인공지능 윤리를 배워야 하는가?

3.2. 인공지능 윤리의 기본 원칙

3.3. 인공지능이 가져올 미래와 윤리

인공지능 윤리를 배우는 방법

4.1. 학교에서의 인공지능 윤리 교육

인공지능의 윤리교육 임선희(feat.GPT)

서론 인공지능이란 무엇인가?

인공지능, 또는 AI는 컴퓨터가 사람처럼 생각하고 학습하는 능력을 가진 기술을 말합니다. 이것은 컴퓨터가 사람의 문제 해결 능력, 언어 이해, 인식 능력 등을 모방하려는 시도로 볼 수 있습니다.

예를 들어, 우리가 말하는 언어를 이해하고 대답하는 AI, 사진에서 사람이나 물건을 인식하는 AI, 심지어 체스나 바둑 같은 복잡한 게임에서 사람을 이기는 AI도 있습니다. 이렇게 AI는 우리 일상 생활의 많은 부분에서 활용되고 있습니다.

하지만 AI는 단순히 명령에 따라 작동하는 것이 아니라, 주어진 데이터를 기반으로 '학습'을 합니다. 이 '학습' 능력이 바로 AI를 특별하게 만드는 것입니다. AI는 수많은 정보를 분석하고 패턴을 찾아내어, 새로운 문제를 해결하는 능력을 가집니다.

그래서 AI는 우리의 동반자이자 도구가 될 수 있지만, 잘못 사용하면 문제를 일으킬 수도 있습니다. 이 책은 AI가 어떻게 작동하고, 그로 인해 어떤 윤리적인 문제가 발생할 수 있는지에 대해 알아보는 데 도움이 될 것입니다.

0-1.우리 일상 속의 인공지능 예시

우리의 일상생활에서 인공지능의 존재는 더욱 두드러지게 나타나고 있습니다. 스마트폰의 개인 비서, Siri나 Google Assistant가 그 예입니다. 이들은 우리의 음성 명령을 듣고 이해하여, 우리가 원하는 정보를 제공하거나, 일정을 관리해주고 있습니다.

또한, 온라인 쇼핑몰에서는 우리의 구매 이력과 선호도를 분석하여, 개인화된 상품 추천을 제공합니다. 영화나 드라마 스트리밍 서비스인 넷플릭스에서는 인공지능을 활용하여 각 사용자의 시청 패턴을 학습하고, 그에 맞는 콘텐츠를 추천합니다. 심지어 우리 집의 스마트 홈 시스템도 인공지능을 활용하여, 우리의 생활 패턴을 학습하고 최적화된 환경을 제공합니다.

0-2.인공지능 윤리교육이 중요한 이유

그러나, 이렇게 급속히 발전하고 있는 인공지능 기술은 새로운 윤리적 문제를 던져주고 있습니다. 인공지능이 우리를 대신해서 결정을 내리거나, 행동을 취할 때, 그 기준은 무엇인가요? 그리고 그 기준이 항상 공정하고, 올바른가요? 이러한 문제는 인공지능 윤리 교육의 필요성을 높이고 있습니다.

인공지능 윤리 교육은 우리가 이러한 기술을 올바르게 이해하고, 사용하는 데 중요한 역할을 합니다. 우리가 기술을 사용함에 있어서 그 기준을 잘 세우고, 올바른 판단을 내릴 수 있도록 도와주는 것이 바로 인공지능 윤리 교육입니다.

이 교육은 우리가 인공지능의 가능성을 최대한 활용하면서도, 그로 인해 발생할 수 있는 부작용이나 위험을 미리 예방하고 대응할 수 있는 능력을 키우는데 도움이 됩니다.

그래서 이 책은 인공지능의 세계를 이해하는 데 필요한 기본적인 지식을 제공하고, 인공지능 기술과 그 윤리적인 이슈에 대해 더 깊이 이해하고 생각해볼 수 있는 기회를 제공합니다.

이 책을 통해 우리 모두가 인공지능의 세계에 대해 더 잘 이해하고, 올바른 윤리적 판단을 내릴 수 있도록 돕는 안내서가 될 것을 기대합니다.

제1장 인공지능 이해하기

1-1. 인공지능의 기본 개념

인공지능(AI)은 기계가 인간의 학습 능력, 추론 능력, 지각 능력, 자연언어 이해 능력 등을 모방하는 컴퓨터 시스템을 가리킵니다. 이는 기계가 사람처럼 생각하고 학습하며, 새로운 상황에 적응할 수 있도록 만들어주는 기술입니다.

인공지능은 기계 학습(machine learning)과 딥러닝(deep learning) 등의 서브필드를 포함하며, 이러한 기술들은 기계가 데이터로부터 학습하고, 예측을 만들고, 결정을 내리는 데 사용됩니다. 인공지능은 간단한 명령 실행에서부터 복잡한 문제 해결까지 다양한 작업을 수행할 수 있습니다.

1-2. 인공지능의 작동 원리

인공지능의 작동 원리를 이해하기 위해서는, 기계 학습과 딥러닝에 대해 알아보는 것이 중요합니다. 기계 학습은 컴퓨터가 데이터를 분석하고, 그 데이터로부터 패턴을 학습하는 알고리즘을 개발하는 과학입니다. 이는 통계학, 컴퓨터 과학, 수학 등의 다양한 분야에서 영향을 받아 개발되었습니다.

기계 학습은 크게 지도 학습(supervised learning), 비지도 학습(unsupervised learning), 강화 학습(reinforcement learning) 등의 범주로 나눌 수 있습니다.

지도 학습은 컴퓨터에게 입력 데이터와 그에 해당하는 출력 데이터를 제공하고, 컴퓨터가 이를 통해 학습하는 방식입니다.

비지도 학습은 컴퓨터에게 입력 데이터만 제공하고, 컴퓨터가 스스로 패턴을 찾아내는 방식입니다. 강화 학습은 컴퓨터가 어떤 환경에서 행동하고, 그 결과로부터 보상 또는 처벌을 받음으로써 학습하는 방식입니다.

딥러닝은 인공신경망(artificial neural networks)을 기반으로 한 기계 학습의 한 분야입니다. 인공신경망은 사람의 뇌에서 발견되는 뉴런의 연결 구조를 모방한 것입니다.

이는 다수의 입력을 받아 처리하고, 결과를 출력하는 노드(node)들로 구성되어 있습니다. 이 노드들은 서로 연결되어 있으며, 각 연결에는 가중치(weight)가 부여되어 있습니다. 딥러닝은 이러한 인공신경망을 통해 복잡한 패턴을 학습하고, 예측을 만들어냅니다.

1-3. 인공지능이 우리 생활에 어떻게 영향을 미치는가?

인공지능은 이미 우리 일상생활의 많은 부분에 깊숙이 들어와 있습니다. 음성 인식 기술을 활용한 스마트폰의 개인 비서, Siri나 Google Assistant는 우리의 명령을 듣고 이해하여, 원하는 정보를 제공하거나, 일정을 관리해줍니다.

또한, 온라인 쇼핑몰에서는 우리의 구매 이력과 선호도를 분석하여, 개인화된 상품 추천을 제공합니다. 영화나 드라마 스트리밍 서비스인 넷플릭스에서는 인공지능을 활용하여 각 사용자의 시청 패턴을 학습하고, 그에 맞는 콘텐츠를 추천합니다.

우리 집의 스마트 홈 시스템도 인공지능을 활용하여, 우리의 생활 패턴을 학습하고 최적화된 환경을 제공합니다.

뿐만 아니라, 인공지능은 의료 분야에서도 큰 변화를 가져오고 있습니다. 의료 영상 판독, 질병 예측 및 진단, 개인화된 치료 방안 제안 등에서 인공지능이 활용되고 있습니다. 또한, 교육 분야에서도 맞춤형 교육 콘텐츠 제공, 학습 진도 관리, 학습 성과 예측 등에 인공지능이 활용되고 있습니다.

그러나, 이렇게 인공지능이 우리의 생활에 깊숙이 들어오면서, 인공지능이 우리를 대신해서 결정을 내리거나, 행동을 취할 때, 그 기준이 항상 공정하고,

올바른지에 대한 문제가 제기되고 있습니다. 이러한 문제는 인공지능 윤리 교육의 필요성을 높이고 있습니다.

인공지능 윤리 교육은 우리가 이러한 기술을 올바르게 이해하고, 사용하는 데 중요한 역할을 합니다. 우리가 인공지능 기술을 적절하게 활용하고, 그 위험성을 이해하고 관리하는 데 도움이 됩니다.

이렇게 본다면, 인공지능은 우리의 생활에 많은 영향을 미치고 있습니다. 간단한 일상생활에서부터 고급 의료 서비스까지, 인공지능은 우리의 라이프스타일을 개선하고, 효율성을 높이며, 새로운 가능성을 제공합니다.

하지만, 동시에 인공지능은 우리의 삶에 대한 새로운 질문을 제기합니다. 인공지능이 결정을 내리고 행동하는 기준이 항상 공정하고 올바른지, 그리고 이러한 기술의 잠재적인 위험성과 제한성을 어떻게 관리할 것인지 등의 문제입니다. 이러한 문제를 해결하기 위해서는 인공지능 윤리 교육의 필요성이 높아지고 있습니다.

이렇게 인공지능은 우리의 삶을 향상시키는 동시에 새로운 도전을 제기합니다. 이는 우리가 이러한 기술을 올바르게 이해하고, 사용하는 데 중요한 역할을 합니다. 인공지능 기술을 적절하게 활용하고, 그 위험성을 이해하고 관리하는 것이 우리 모두의 책임입니다.

제2장 인공지능과 윤리

2-1.인공지능이 만들어내는 문제점들

인공지능(AI)과 로봇 기술은 사회, 경제, 그리고 문화적 측면에서 인류의 발전에 중요한 영향을 미칠 디지털 기술입니다. 그러나 이들 기술은 우리가 이 시스템들을 어떻게 사용해야 하는지, 이 시스템들 자체가 어떻게 동작해야 하는지, 어떤 위험을 수반하는지, 그리고 이를 어떻게 통제해야 하는지에 대한 기본적인 질문을 제기하고 있습니다. 이러한 질문들은 개인정보 보호, 조작,

불투명성, 편향, 인간-로봇 상호작용, 고용, 그리고 자율성과 같은 윤리적 이슈를 포함하고 있습니다.

AI 및 기계 학습 기술은 사회를 빠르게 변화시키고 있으며, 이들은 인간의 삶을 향상시키는 한편 방해도 하고 있습니다. 이러한 강력한 새로운 기술들은 또한 인간 지능의 외연화로 볼 수 있으며, 이는 우리 인간이 이미 가지고 있는 모든 것, 즉 선과 악을 확대시켜 줍니다.

따라서 이러한 전환을 어떻게 이루어야 할지를 매우 신중히 생각해야 합니다. 데이터 세트의 크기 증가, 컴퓨팅 파워의 증가, 그리고 기계 학습 알고리즘의 향상은 모두 권력을 집중시키는 추세이며, 이로 인해 "위대한 권력이 큰 책임을 수반한다"는 문제가 대두됩니다.

2-2.인공지능과 개인정보

AI의 사용이 증가함에 따라 개인정보와 관련된 이슈가 대두되고 있습니다. AI 시스템이 어떻게 동작하는지 이해하고, 그 기능에 대한 데이터를 적절하게 수집하는 것은 매우 중요합니다. 이는 윤리적 분석이 사실에 기반한 후에만 시작될 수 있기 때문입니다.

하지만 일부 기계 학습 기법들, 특히 심층 학습을 사용하는 신경망과 같은 기법들에서는 기계가 어떤 결정을 내리는지 세부적인 분석을 시작하기 전에 이해해야 합니다.

그러나 일부 기계 학습 기법들, 특히 심층 학습을 사용하는 신경망과 같은 기법들에서는 기계가 어떤 결정을 내리는지 이해하는 것이 어려울 수 있습니다. 또한, 설명 가능한 AI(Explainable AI)에 대한 연구가 진행되고 있지만, 아직은 기계가 내린 결정의 이유를 완벽하게 이해하거나 설명하는 것은 어려운 상황입니다.

예를 들어, 2014년에 컴퓨터가 수학적 정리를 증명했지만, 그 증명은 당시 위키백과 전체보다 길었습니다. 이러한 종류의 설명은 사실일 수 있지만, 인간이 결코 확실하게 알지 못할 것입니다

2-3.인공지능의 결정과 윤리

인공지능의 주된 목적은 다른 모든 기술과 마찬가지로, 사람들이 더 오래, 더 풍요롭게, 더 성취감을 느끼는 삶을 살 수 있게 돕는 것입니다. 이는 좋은 것이며, 따라서 인공지능이 이러한 방식으로 사람들을 돕는다면, 우리는 그것을 환영하고 그로부터 얻는 이익을 감사해야 합니다.

그러나 완벽하게 기능하는 기술도, 그것이 의도된 목적으로 사용될 때 엄청난 악을 초래할 수 있습니다. 인공지능 역시 인간의 지능과 마찬가지로 악의적으로 사용될 것입니다. 예를 들어, AI를 활용한 감시는 이미 널리 퍼져 있습니다.

이는 적절한 상황(예: 공항 보안 카메라), 아마도 부적절한 상황(예: 우리 집에 항상 켜져 있는 마이크를 가진 제품), 그리고 확실히 부적절한 상황(예: 권력자들이 시민들을 식별하고 억압하는 데 도움이 되는 제품)에서 사용됩니다.

제3장 인공지능 윤리교육의 필요성

3-1.우리가 왜 인공지능 윤리를 배워야 하는가?

인공지능(AI)과 로봇 공학은 가까운 미래에 인류의 발전에 중대한 영향을 미칠 디지털 기술입니다. 이 시스템들은 우리가 이 시스템들로 무엇을 해야 하는지, 시스템 자체가 무엇을 해야 하는지, 이들이 수반하는 위험은 무엇인지, 그리고 어떻게 이들을 제어할 수 있는지에 대한 기본적인 질문을 제기하고 있습니다.

이러한 질문들은 인공지능이 우리 사회에 미치는 영향과 인공지능이 인간의 삶과 우리 사회의 다양한 측면에 어떻게 통합될 수 있는지에 대한 더 깊은 이해를 필요로 합니다.

AI 윤리의 중요성은 특히, 기계학습이 신경망을 통해 급속히 발전하고 있기 때문에 현재 문제가 되고 있습니다. 데이터 세트 크기의 큰 증가, 컴퓨팅 파워의 큰 증가, 기계학습 알고리즘의 큰 개선 및 그것들을 작성할 인간의 능력이 크게 향상된 세 가지 이유 때문입니다.

이 세 가지 추세는 모두 권력을 집중시키는 경향이 있으며, "큰 권력이 큰 책임을 수반한다"는 말이 이 문제를 잘 설명합니다. 이러한 책임은 누구에게 있어야 하는지, 어떻게 관리되어야 하는지에 대한 질문을 제기합니다.

3-2.인공지능 윤리의 기본 원칙

AI 윤리는 일반적으로 아래의 주요 주제를 다룹니다: 개인 정보 보호, 조작, 불투명성, 편향, 인간-로봇 상호작용, 고용, 자율성의 영향 등의 문제를 포함한 AI 시스템을 객체로서의 윤리적 이슈, 그리고 기계 윤리와 인공 도덕 에이전트를 포함한 AI 시스템 자체에 대한 윤리적 이슈입니다. 마지막으로, 가능한 미래의 AI 초지능이 "특이점"을 초래하는 문제가 있습니다.

3-3. 인공지능이 가져 올 미래와 윤리

AI와 기계 학습 기술은 사회를 빠르게 변형하고 있으며, 앞으로 수십 년 동안 계속해서 변형할 것입니다. 이러한 강력한 새로운 기술은 인간의 삶을 향상시키고 방해하는 깊은 윤리적 영향을 미칠 것입니다.

AI는 인간 지능의 외화로서, 이미 존재하는 인간의 선과 악을 증폭시킵니다. 많은 것이 위험에 처해 있습니다. 이 역사적인 교차점에서 우리는 이러한 전환을 어떻게 할지 신중하게 생각해야 합니다. 그렇지 않으면 우리는 우리의 어두운 면을 강화하는 위험에 처할 수 있습니다.

3-4. 인공지능 윤리에 대한 현실적인 문제

기술 안전성: AI 시스템이 약속된 대로 작동할 것인가, 아니면 실패할 것인가? 그들이 실패하면 그 실패의 결과는 무엇일 것인가? 우리가 그들에 의존하고 있다면, 우리는 그들 없이 살아갈 수 있을 것인가?

투명성과 개인 정보 보호: 기술이 적절하게 작동한다는 것을 우리가 확신하면, 우리는 실제로 그것이 어떻게 작동하는지 이해할 수 있고, 그 작동에 대한 데이터를 제대로 수집할 수 있을까요?

유익한 사용 & 선의 능력: AI의 주요 목적은 다른 모든 기술과 마찬가지로, 사람들이 더 오래, 더 번영하게, 더 만족스럽게 살 수 있도록 돕는 것입니다.

악의적인 사용 & 악의 능력: 완벽하게 기능하는 기술, 예를 들어 핵무기와 같은 것은, 그것이 의도된 사용에 따라 엄청난 악을 초래할 수 있습니다. 인공지능, 인간 지능과 마찬가지로, 악의적으로 사용될 것입니다, 이것에는 의심의 여지가 없습니다.

제4장 인공지능 윤리를 배우는 방법

4-1. 학교에서의 인공지능 윤리교육

학교는 아이들이 새로운 지식과 개념을 배우는 중요한 장소입니다. 그러므로 학교에서 인공지능 윤리를 가르치는 것은 아이들이 인공지능과 그 연관된 윤리적 이슈에 대해 이해하는데 큰 도움이 됩니다.

특히, 학교에서는 강의, 프로젝트, 실험 등 다양한 방식을 통해 아이들에게 인공지능의 작동 원리와 그것이 우리 생활에 미치는 영향, 그리고 그에 따른 윤리적 고려사항을 가르칩니다.

또한, 특별 프로그램을 운영하여 학생들이 인공지능 기술의 올바른 사용법과 그 기술이 사회와 개인에 미치는 영향에 대해 더 깊게 이해할 수 있도록 돕습니다. 학교에서는 인공지능 윤리에 대한 토론을 통해 학생들이 다양한 관점을 이해하고 비판적 사고력을 키우는 것을 장려합니다.

4-2. 일상 생활에서의 인공지능 윤리 실천

우리 일상에서 인공지능은 점점 더 중요해지고 있습니다. 스마트폰, 인터넷 검색, 소셜 미디어, 심지어 자동차와 가정용 기기 등 우리가 사용하는 많은 기술들이 이미 인공지능 기술을 사용하고 있습니다. 이러한 기술을 사용하면서, 우리는 매 순간마다 윤리적인 결정을 내려야 합니다.

예를 들어, 인공지능 기술이 우리의 개인 정보를 어떻게 수집하고 사용하는지, 그리고 그 정보가 어떻게 처리되고 보호되는지 등에 대해 반드시 고려해야 합니다.

또한, 우리는 우리의 행동이 인공지능의 결정에 어떻게 영향을 미치는지에 대해 이해해야 합니다. 마지막으로, 우리는 우리 개인의 데이터와 프라이버시를 어떻게 보호할 수 있는지에 대해 알아야 합니다.

4-3. 부모와교사가 할 수 있는 인공지능 윤리 교육

부모와 교사는 아이들에게 인공지능 윤리를 가르치는 중요한 역할을 합니다. 부모는 자녀에게 인공지능 윤리를 가르치는 방법에 대해 배울 수 있으며, 이는 자녀가 일상적인 상황에서 인공지능 기술을 사용할 때 윤리적으로 어떻게 행동해야 하는지 가르치는 것을 포함합니다.

교사는 학생들에게 인공지능 윤리에 대해 가르치는 데 있어 중요한 역할을 합니다. 그들은 학생들이 인공지능 윤리에 대한 이해를 깊게 하고, 이를 실생활에 적용할 수 있도록 돕습니다.

또한, 집에서는 부모와 아이들이 함께 인공지능 윤리에 대해 이야기하고, 이를 통해 인공지능 윤리를 실천하는 방법을 배울 수 있습니다. 이렇게 하면, 아이들은 인공지능 윤리에 대한 이해를 실제 상황에 적용하며 그 의미를 이해할 수 있게 됩니다.

제5장 인공지능 윤리의 미래

5-1. 인공지능의 발전과 윤리의 중요성

인공지능의 빠른 발전은 우리의 생활 방식을 변화시키고 있습니다. 이는 효율성과 편리함을 제공하지만, 동시에 새로운 윤리적 이슈들을 제기합니다. 우리가 인공지능의 발전을 즐기며, 그 기술의 획기적인 변화를 받아들일 때, 우리는 동시에 그 기술이 가져오는 윤리적인 문제와 도전에 대해 심사숙고해야 합니다.

우리는 인공지능이 결정을 내리는 방법, 개인 정보를 사용하는 방법, 그리고 사회적, 경제적 영향 등에 대해 명확하게 이해해야 합니다. 이러한 이해는 우리가 기술을 잘못 사용하거나, 심지어 악용하는 것을 방지하고, 올바르고 책임있는 방식으로 이를 활용하는데 도움을 줄 것입니다.

5-2. 윤리적인 인공지능 사용을 위한 교육

인공지능 기술을 올바르게 사용하기 위해서는 그 기술에 대한 깊은 이해와 윤리적인 지식이 필요합니다. 이러한 지식은 우리가 인공지능 기술을 통해 일어날 수 있는 결과를 이해하고, 적절하게 대응할 수 있게 해줍니다.

학교, 대학, 직장 등 다양한 교육 환경에서 인공지능 윤리 교육은 중요한 부분을 차지하고 있습니다. 이는 학생들과 교육자들이 인공지능 기술이 가져오는 복잡한 윤리적 이슈에 대해 이해하고, 이에 대한 논의를 능력을 향상시키기 위함입니다.

윤리적인 인공지능 사용에 대한 교육은 우리가 이 기술을 이해하고, 그것이 가져오는 도전에 대해 적절하게 대응할 수 있도록 도와줍니다.

5-3. 인공지능 윤리 교육의 미래 전망

인공지능 윤리 교육의 미래는 희망적입니다. 이 교육은 우리가 인공지능 기술의 영향을 이해하고, 이를 통해 더 나은 사회를 만들 수 있게 도와줍니다. 기술의 발전에 따라, 우리는 항상 새로운 윤리적 이슈에 대응해야 합니다. 이런 이슈에 대응하는 방법을 배우는 것은 인공지능 윤리 교육의 주요 부분입니다. 또한, 이 교육은 우리에게 인공지능이 가져올 미래에 대한 심도 있는 이해를 제공하며, 이를 통해 우리는 이 기술을 보다 책임감있게 사용하고, 그로 인한 변화에 적응할 수 있을 것입니다.

5-4. 인공지능 윤리 교육의 중요성

인공지능 윤리 교육의 중요성은 여러 방면에서 특히 두드러집니다. 우리는 이 기술이 가져오는 혜택을 즐기는 한편, 그것이 만들어내는 복잡한 문제에 대처하기 위해 이해력과 의식을 갖춰야 합니다.

인공지능 윤리 교육은 이러한 이해력을 높이고, 우리가 이 기술을 올바르게 사용하는 데 필요한 기준을 설정하는 데 도움을 줍니다. 이러한 교육을 통해, 우리는 인공지능 기술의 영향을 더욱 명확하게 이해하고, 이를 적절하게 관리하고 조절하는 방법에 대해 배울 수 있습니다.

이는 우리가 기술을 잘못 사용하거나 악용하는 것을 방지하고, 기술이 가져오는 도전에 적응하고 대응하는 데 중요합니다.

5-5. 우리가 할 수 있는 윤리적인 인공지능 사용

인공지능 윤리 교육을 통해 우리는 이 기술을 올바르고 윤리적으로 사용하는 방법을 배울 수 있습니다. 이는 우리의 일상에서 인공지능 기술을 활용하는 방법부터, 그 기술이 사회와 환경에 미치는 영향을 이해하고 이에 대처하는 방법에 이르기까지 다양한 방면에서 중요합니다.

예를 들어, 우리는 인공지능 응용 프로그램이나 서비스를 사용할 때, 그것이 어떻게 우리의 개인 정보를 수집하고 사용하는지, 그리고 그것이 우리의 사회와 환경에 어떤 영향을 미치는지에 대해 심도 있게 이해해야 합니다.

또한, 우리는 이러한 응용 프로그램이나 서비스를 개발하고 배포하는 사람들로서, 그것이 윤리적인 기준을 준수하고, 그것이 가져오는 부정적인 영향을 최소화하는 방법에 대해 깊이 생각해야 합니다.

인공지능 윤리 교육은 이러한 생각과 이해를 가능하게 하며, 우리가 이 기술을 보다 올바르고 책임감있게 사용할 수 있도록 돕습니다. 이러한 교육은 또한 우리가 이 기술의 미래 발전에 대비하고, 그것이 우리의 사회와 환경에 미치는 영향을 보다 잘 이해하고 관리할 수 있도록 도와줍니다.

이것을 통해, 우리는 인공지능 윤리를 더욱 심도 있게 이해하고, 그 기술을 활용하고 통제하는 데 필요한 지식과 도구를 갖출 수 있습니다. 그 결과, 우리는 이 기술의 혜택을 최대한 활용하고, 그것이 만들어내는 도전에 적응하고 대응할 수 있습니다.

결론적으로, 이 책은 인공지능 윤리 교육의 중요성과 우리가 할 수 있는 윤리적인 인공지능 사용에 대해 깊이 이해하는 데 도움이 되기를 바랍니다. 이는 우리가 인공지능 기술의 혜택을 최대한 활용하고, 그것이 만들어내는 도전을 적절히 대처하는 데 중요합니다. 이를 통해 우리는 인공지능이 보다 더 향상된 미래를 만들 수 있도록 돕는 동시에, 그것이 사회와 환경에 미치는 부정적인 영향을 최소화하는 방법을 배울 수 있습니다.

결론 우리가 인공지능을 배워야 하는 이유

인공지능은 현대 사회에서 빠르게 성장하고 있는 기술 중 하나로, 우리의 일상 생활에서부터 전문적인 분야에 이르기까지 많은 곳에서 활용되고 있습니다. 따라서 우리가 인공지능을 배워야 하는 이유는 매우 중요하며 다양합니다.

6-1. 인공지능 현재와 미래의 영향

현재 인공지능은 구글 검색, 음성 인식, 자동화된 고객 서비스, 제품 추천, 의료 진단 등 다양한 분야에서 이미 사용되고 있습니다. 또한, 자율주행 자동차, 로봇 공학, 언어 번역, 재난 관리 등에서도 인공지능의 활용 가능성이 탐구되고 있습니다.

이러한 모든 분야에서 인공지능은 우리의 삶을 향상시키는 데 중요한 역할을 하고 있으며, 이러한 영향력은 더욱 증가할 것입니다. 따라서 이러한 변화를 이해하고 적응하려면 인공지능에 대한 깊은 이해가 필수적입니다.

6-2. 윤리적 관점에서의 인공지능 이해의 필요성

그러나 인공지능의 발전은 동시에 다양한 윤리적 이슈를 일으키고 있습니다. 인공지능이 의사결정을 수행할 때 그 과정이 투명하지 않거나, 인공지능이 우리의 개인 정보를 어떻게 처리하는지, 또는 인공지능의 사용이 일자리를 대체하는 등의 사회적 문제 등, 이러한 이슈들을 이해하고 해결하기 위해서는 인공지능에 대한 윤리적 이해가 필요합니다.

6-3. 인공지능 윤리 교육의 중요성

 이러한 이유로 인공지능 윤리 교육의 중요성은 더욱 강조되고 있습니다. 이 교육을 통해, 우리는 인공지능의 기술적 작동 원리와 그것이 우리의 삶에 미치는 영향, 그리고 윤리적 문제에 대해 배울 수 있습니다.

 이는 우리가 이 기술을 책임감 있게 사용하고, 그것이 가져오는 변화에 적응하는 데 필수적인 역할을 합니다.

부록: 인공지능과 윤리에 대한 추가 학습 자료

인공지능과 윤리에 대한 이해를 더욱 풍부하게 하기 위해, 다음과 같은 자료들을 참고하실 수 있습니다.

Q 관련 도서, 웹사이트, 비디오,직접 실험해볼 수 있는 인공지능 프로젝트

Books:

"The Oxford Handbook of Ethics of AI" by Markus D. Dubber, Frank Pasquale, Sunit Das1.

"AI Ethics" by Mark Coeckelbergh2.

"Artificial Intelligence and Ethics" by Stefan H. Vieweg3.

"Human Compatible: Artificial Intelligence and the Problem of Control" by Stuart Russell4.

"A Practical Guide to Building Ethical AI" by Reid Blackman5.

"AI Ethics: A Textbook" (No author provided)6.

"Ethics of Artificial Intelligence" by S. Matthew Liao7.

Websites:

Ethics of Artificial Intelligence | UNESCO8.

Ethics and Governance of AI | Berkman Klein Center8.

Ethics of Artificial Intelligence and Robotics (Stanford Encyclopedia of Philosophy)9.

The Ethics of AI Ethics: An Evaluation of Guidelines (Springer)8.

AI Ethics | IBM8.

AI Ethics: What It Is And Why It Matters - Forbes8.

AI and Ethics | Home - Springer8.

Global AI Ethics – The AI Ethics Institute8.

Ethics and AI: 3 Conversations Companies Need to Have (Harvard Business Review)8.

Everyone in Your Organization Needs to Understand AI Ethics (Harvard Business Review)8.

The Ethics of Artificial Intelligence - ISACA8.

Videos:

"What is AI Ethics?" - IBM Technology10.

"Artificial intelligence and its ethics" | DW Documentary11.

"Artificial Intelligence and Ethics" - UNESCO12.

"Exploring the Ethics of AI"12.

"World of AI Ethics Videos"12.

"The Ethics of AI Art"13.

♀ 인공지능과 윤리에 대해 배울 수 있는 게임과 앱

게임과 앱을 사용하여 인공지능과 윤리를 배우는 것은 효과적인 학습 방법 중 하나입니다. 이런 도구들은 복잡한 주제를 접근하기 쉽고 재미있게 만들어주며, 실질적인 경험을 통해 학습하는 데 도움을 줍니다.

"Elements of AI": 이는 인공지능에 대한 전반적인 이해를 돕는 무료 온라인 코스로, 인공지능의 기본적인 원리와 작동 방식, 그리고 인공지능이 사회와 윤리에 미치는 영향에 대해 배울 수 있습니다. 웹사이트로 접근 가능하며, 스마트폰의 웹 브라우저에서도 이용 가능합니다.

"Swift Playgrounds": 이 앱은 코딩을 배우는 과정에서 컴퓨터 사고력을 기르는 데 도움이 됩니다. 특히 인공지능 알고리즘에 대한 기본적인 이해를 돕는 데 유용하며, 이는 인공지능 윤리에 대한 깊은 이해의 기본이 될 수 있습니다.

"Science Journal": 이 앱은 사용자의 주변 환경을 탐구하고 기록하는데 도움을 주는 과학 실험 도구입니다. 데이터 수집과 분석, 그리고 결론 도출에 대한 이해는 인공지능의 데이터 기반 의사결정 프로세스를 이해하는데 중요합니다.

♀ 학생들이 직접 실험해볼 수 있는 인공지능 프로젝트

직접 인공지능 프로젝트를 수행하면서 인공지능과 윤리에 대해 배우는 것은 매우 유익한 경험이 될 수 있습니다. 이를 통해, 학생들은 이론적인 학습뿐만 아니라 실질적인 경험을 통해 인공지능의 작동 원리와 그것이 사회에 미치는 영향, 그리고 윤리적 문제에 대해 이해할 수 있습니다. 이런 경험은 인공지능과 윤리에 대한 깊은 이해를 돕습니다.

Iconoscope: 이 게임은 태블릿과 웹에서 사용할 수 있으며, 플레이어의 창의성을 촉진하는 것을 목표로 합니다. Iconoscope는 플레이어가 언어적으로 설명된 개념을 시각적으로 표현된 아이콘으로 창의적으로 해석하도록 돕습니다. 이 게임은 비디지털 구성 및 추측 게임에서 주로 영감을 받았으며, 플레이어들이 언어적으로 설명된 개념을 시각적으로 표현된 아이콘으로 창의적으로 해석하도록 돕습니다. 이를 통해, 학생들은 언어적인 개념을 시각적으로 이해하고 표현하는 능력을 기를 수 있습니다.

ConceptNet: 이것은 자유롭게 사용할 수 있는 의미 네트워크로, 사람들이 사용하는 단어들의 의미를 컴퓨터가 이해하도록 만드는 데 도움이 됩니다. 이 프로젝트를 통해 학생들은 인공지능이 어떻게 언어를 이해하는지에 대한 통찰력을 얻을 수 있습니다.
인공지능 윤리교육 -끝-

서론

1.1 AI 시대 대응을 위한 근본적인 원인 탐구

본론

2.1 청소년 AI 시대 대응: 코딩과 데이터 분석을 통한 미래 역량 발전

2.1.1 기본적인 프로그래밍 및 코딩 능력

2.1.2 데이터 리터러시

2.1.3 디지털 시민권

3.1 20대 성인의 AI 시대 대응 : 협업과 크리티컬 씽킹을 통한 미래 역량 발전

2.1.1 AI와의 협업

2.1.2 크리티컬 씽킹

4.1 30대 성인의 AI 시대 대응: 지속적인 학습과 리더십으로 성장하는 전문가

4.1.1 직업 관련 AI 지식

4.1.2 계속적인 학습 능력

5.1 40대 성인의 AI 시대 대응: AI 응용력과 변화 관리로 더 나은 결과 창출

5.1.1 AI 응용력

5.1.2 변화 관리 능력

6.1 50대 성인의 AI 시대 대응: 전략적 사고와 멘토링으로 지혜와 경험을 발휘

6.1.1 전략적 사고

6.1.2 멘토링

7.1 60대 성인의 AI 시대 대응: 기술적 적응력과 생활 속 AI 이해로 삶의 질 향상

7.1.1 기술적 적응력

7.1.2 생활 속의 AI 이해

8.1 노년층의 AI 시대 대응: 디지털 기기 사용과 온라인 서비스 이해로 더 나은 삶을 즐기다.

8.1.1 디지털 기기 사용

8.1.2 인터넷 및 온라인 서비스 이해

8.1.3 사이버 안전 및 보안 인식

결론

9.1 준비된 AI 세대, 연령대별 역량과 전략으로 미래에 성장하기

"AI시대를 위한 준비"

: 연령대별 대응 전략 및 갖추어야 할 우리의 역량

김세진(feat.GPT)

서론

1.1 AI 시대 대응을 위한 근본적인 원인 탐구

21세기는 역동적인 변화의 시대입니다. 그 중에서도 인공지능(AI)는 모든 분야에 대해 광범위한 변화를 가져오고 있습니다. AI는 이제 우리 일상 생활의 중심에 자리하며, 우리가 이해하고, 수용하고, 그리고 그것을 활용하는 방법에 따라 사회 전반에 미치는 영향이 크게 달라질 것입니다. 이러한 변화를 이해하고 받아들이는 것이 AI 시대를 살아가는 데 필수적입니다.

하지만 이 변화가 진행되는 동안, 우리는 어떻게 준비해야 할까요? 어떤 역량을 갖추어야 할까요? 이러한 문제를 해결하기 위한 가이드라인을 제공하려는 것이 이 책의 목표입니다. "AI 시대를 위한 준비: 연령대별 대응 전략 및 필요 역량"은 AI와 관련된 미래사회에 대한 이해를 높이는 데 초점을 두고 있습니다. 이를 통해 우리는 AI 시대에 성공적으로 적응하고, 변화에 따라 새로운 기회를 잡아낼 수 있도록 돕고자 합니다.

우리는 청소년, 20대, 30대, 40대, 50대, 60대, 그리고 노년층으로 연령대를 구분하여, 각 연령대가 AI 시대에 대비할 수 있는 방법과 필요한 역량을 제안하고 있습니다. 각 연령대별로 대응 전략과 필요한 역량이 달라질 수 있습니다. 이 책은 그러한 다양한 상황을 고려하여, 독자들이 각자의 연령대와 생활 환경에 맞는 전략을 세울 수 있도록 돕는 것이 목표입니다.

또한, AI는 단순히 기술적인 문제를 넘어서 사회, 경제, 문화 등 다양한 영역에서 우리의 삶을 바꾸고 있습니다. 이러한 측면에서 AI의 변화를 이해하고 그에 대응하는 방법을 생각해 보는 것은 매우 중요합니다. 이 책이 여러분에게 이러한 변화를 이해하고, 적응하는데 필요한 지식과 전략을 제공하는 유용한 자료가 되기를 바랍니다.

마지막으로, 이 책을 통해 여러분이 AI 시대를 위한 준비 과정을 즐기길 바랍니다. 기술의 발전은 새로운 도전을 제시하며, 이 도전을 통해 우리는 새로운 기회를 만들고, 새로운 가치를 창출하며, 새로운 경험을 얻게 됩니다. 이 책이 여러분에게 AI 시대에 성공적으로 대비하는데 필요한 도구를 제공하고, 이를 통해 더 나은 미래를 구축하는데 도움이 되길 바랍니다.

본론

2.1 청소년 AI 시대 대응 : 코딩과 데이터 분석을 통한 미래 역량 발전

청소년기는 자아를 발견하고, 미래에 대한 꿈과 희망을 구체화시키는 중요한 시기입니다. 이 시기의 청소년들은 빠르게 변화하는 세상에 대한 새로운 시각을 가지고 있습니다. 그들은 새로운 기술과 트렌드에 빠르게 적응하며, 이를 통해 미래에 대한 독특하고 창의적인 아이디어를 제안합니다.

이러한 청소년들은 AI 시대의 미래 주역으로서, AI 기술과 디지털 환경에 이미 익숙합니다. 그들은 새로운 기술을 빠르게 습득하며, 이를 통해 창의적이고 혁신적인 아이디어를 발휘합니다. 그들은 자신의 생각과 감정을 표현하고, 세상과 소통하는 데 AI와 디지털 기술을 활용하며, 이를 통해 미래의 사회와 경제, 문화에 큰 영향을 미칠 것입니다.

그러나 이러한 변화에 따라, 청소년들은 AI 시대에 적응하고, 성공하기 위한 필요한 역량을 배워야 합니다. 청소년은 미래의 주인공이며, 그들은 AI 시대의 교육 및 취업 시장에 대비해야 합니다. 그들이 갖춰야 할 가장 중요한 역량은 '코딩'과 '데이터 분석'입니다.

– 기본적인 프로그래밍 및 코딩 능력 : 청소년기는 학습능력이 높아 언어를 배우는데 가장 적합한 시기입니다. 프로그래밍 언어도 마찬가지입니다. 인공지능의 기본적인 원리와 언어를 이해하면, 미래사회에서 더 유연하게 대처할 수 있습니다.

– 데이터 리터러시 : 빅데이터와 인공지능이 중요한 역할을 하는 미래사회에서, 데이터를 이해하고 분석하는 능력은 매우 중요합니다.

– 디지털 시민권 : 인터넷과 디지털 기술의 윤리적, 안전한 사용에 대한 이해가 필요합니다.

이 모든 역량은 청소년들이 성장하면서 만나게 될 미래 세상을 이해하고, 그 안에서 자신의 위치를 찾아가는 데 큰 도움이 될 것입니다. 이 책이 청소년들이 그들의 미래를 위해 필요한 역량을 개발하는 데 도움이 되길 바랍니다.

3.1 20대 성인의 AI 시대 대응 : 협업과 크리티컬 씽킹을 통한 미래 역량 발전

20대 성인은 사회의 새로운 구성원으로, 다양한 사회 환경에 적응하고 자신의 역할을 찾아가는 과정에 있습니다. 이 시기에는 취업과 직장 생활, 독립 등 다양한 변화와 도전을 경험하게 됩니다. 또한, 20대 성인들은 디지털 기술과 정보에 빠르게 적응하는 능력을 갖추고 있습니다. 그들은 청소년기에 얻은 디지털 기술과 정보에 대한 이해를 바탕으로 AI 시대에 더욱 적극적으로 대응할 수 있습니다.

이 시기에는 자신의 경력을 구축하고, 전문성을 확립하고, 사회적 네트워크를 확장하는 것이 중요합니다. 그리고 이러한 과정에서 AI와 같은 새로운 기술과의 접점을 늘리고, 이를 이해하고 활용하는 능력을 갖추는 것이 중요합니다. AI 시대에는 인공지능과 인간이 협력하여 작업을 수행하는 것이 일반적이기 때문에, 인공지능과 효과적으로 협업하는 능력이 요구됩니다.

또한, 20대 성인들은 많은 정보와 데이터를 소비하고 생성하며, 이러한 정보와 데이터를 효과적으로 분석하고 활용하는 '크리티컬 씽킹' 능력이 요구됩니다. 이를 통해 개인은 정보를 분석하고, 가설을 평가하고, 주장을 검증하며, 문제를 해결하고, 결정을 내릴 수 있습니다.

- AI와의 협업 : 인공지능이 더욱 확산되는 시대에 직장에서 효과적으로 작업을 수행하는 데 중요한 역량입니다. AI를 효과적으로 활용하려면 인간과 AI가 잘 협업하는 방법을 알아야 합니다. 예를 들어, 대부분의 회사가 AI 기반의 프로젝트 관리 도구를 사용하기 때문에, 이러한 도구를 효과적으로 활용할 수 있는 능력이 필요하며 인공지능과 협업하여 팀의 작업 효율성을 높이는 데 큰 도움이 됩니다.

또 다른 예로 '자연어 처리' 기술을 활용하는 AI 챗봇과 함께 고객 서비스를 제공하는 업무를 생각해볼 수 있습니다. 이를 통해 고객 응대 시간을 줄이고 효율성을 높일 수 있습니다.

- 크리티컬 씽킹 : 크리티컬 씽킹은 문제를 분석하고 해결하는 능력을 강화합니다. 명확성, 정확성, 깊이, 공정성, 관련성 등을 포함하는 일련의 지적 기술로 이러한 기술을 통해 개인은 정보를 분석하고, 가설을 평가하고, 주장을 검증하며, 문제를 해결하고, 결정을 내릴 수 있습니다.

예를 들어 AI가 제공하는 데이터 분석 결과를 바탕으로 마케팅 전략을 수정하고 개선하는 과정을 들 수 있습니다. 이를 통해 마케팅 효과를 최대화할 수 있습니다.

4.1 30대 성인의 AI 시대 대응: 지속적인 학습과 리더십으로 성장하는 전문가

30대 성인은 자신의 직업에서 안정을 찾고 있으며, 동시에 가족을 키우는 등의 개인적인 책임을 져야하는 시기입니다. 이 시기에는 경력을 더욱 확장하고, 리더십을 발휘하고, 팀이나 조직의 성과를 위해 노력하는 것이 중요합니다. 또한, 이 시기에는 자신의 전문성을 더욱 깊게 파고들고, 그 분야에서의 리더로서의 역할을 수행하는 것이 요구되기 때문에 이들에게 필요한 핵심 역량은 '지속적인 학습'과 '리더십'입니다.

AI 시대에는 기술의 발전과 변화에 유연하게 대응하는 능력이 중요합니다. 따라서, 30대 성인들은 직장에서 중요한 역할을 맡고 있는 만큼, AI 기술에 대한 지식을 갖추고, 이를 업무에 효과적으로 활용하는 능력이 요구됩니다. 또한, 기술의 빠른 발전에 대응하기 위해,

새로운 지식과 기술을 계속해서 학습하고, 이를 실제 업무에 적용하는 능력이 필요합니다. 이를 '지속적인 학습' 능력이라고 할 수 있습니다.

리더십 또한 30대 성인에게 중요한 역량입니다. 리더로서, 팀이나 조직의 성과를 향상시키는 방향으로 AI 기술을 활용할 수 있어야 합니다. 이를 위해서는 AI 기술에 대한 깊은 이해와, 이를 팀이나 조직의 업무에 효과적으로 적용하는 방법에 대한 이해가 필요합니다.

- 직업 관련 AI 지식 : 특히 IT 분야뿐만 아니라 다양한 산업에서 AI는 중요한 역할을 하고 있습니다. 자신의 직업분야에서 AI가 어떻게 사용되는지 이해하는 것이 중요합니다.

- 계속적인 학습 능력 : AI와 기술은 빠르게 발전하고 있습니다. 계속해서 새로운 지식과 기술을 배우고 적용할 수 있는 능력이 필요합니다. 특히, '자기 주도 학습' 역량은 AI 시대의 지속적인 변화에 대응하고, 새로운 기술을 계속 익히는 데 필요합니다. 예를 들어, 인공지능이 개발되는 과정에서 등장하는 새로운 프로그래밍 언어나 플랫폼을 배우는 것을 생각해볼 수 있습니다. 이는 자신의 기술력을 높이고, 최신 AI 트렌드와 관련 기술을 계속 공부하는 능력을 갖춤으로서 빠르게 대응할 수 있게 합니다.

5.1 40대 성인의 AI 시대 대응: AI 응용력과 변화 관리로 더 나은 결과 창출

40대 성인은 자신의 직장에서 다양한 책임과 역할을 가지고 있을 가능성이 높습니다. 이들은 종종 자신의 전문 분야에서 깊은 지식과 풍부한 경험을 가지고 있습니다. 그들은 회사 내에서 중요한 의사결정을 내리는 역할을 맡을 수도 있으며, 때로는 회사의 전략을 결정하는 데 기여할 수도 있습니다.

따라서, 이 시기에는 자신의 전문 지식과 경험을 AI와 결합하여 업무를 보다 효과적으로 수행할 수 있는 능력이 중요해집니다. 이는 'AI 응용력'으로 이루어집니다. AI 응용력을 가지면, 비즈니스 전략을 결정하거나, 복잡한 문제를 해결하는 데 AI를 활용할 수 있습니다.

또한, 40대는 종종 조직 내에서 리더십을 발휘하는 위치에 있습니다. 이런 위치에서는 변화에 대응하고, 새로운 기술을 조직 내에 도입하는 능력이 중요합니다. 이는 '변화 관리 능력'으로 이루어집니다. AI 기술이 도입되면서 조직 구조나 업무 프로세스가 변화할 수 있으며, 이런 변화를 효과적으로 관리하고 적응하는 능력이 요구됩니다.

요약하면, 40대 성인은 'AI 응용력'과 '변화 관리 능력'을 갖추어야 합니다. 이 두 가지 역량은 자신의 전문 지식을 AI와 결합하여 새로운 도전에 대응하고, 변화하는 환경과 기술 흐름에 유연하게 대처하는 데 도움이 됩니다.

- **AI 응용력** : 기존의 전문 지식에 AI를 더해 보다 효과적인 결과를 도출하는 능력을 말합니다. 예를 들어, AI를 활용한 데이터 분석으로 복잡한 비즈니스 문제를 해결하거나, AI 기반의 도구를 이용해 일상 업무를 자동화하는 것 등이 있습니다.

- **변화 관리 능력** : 변화하는 환경과 기술 흐름에 유연하게 대처하는 능력입니다. 예를 들어, AI 기술이 도입된 후 조직 구조나 업무 프로세스가 변경될 경우, 이를 효과적으로 관리하고 적응하는 것입니다.

6.1 50대 성인의 AI 시대 대응: 전략적 사고와 멘토링으로 지혜와 경험을 발휘

50대 성인은 자신의 삶과 경력에서 풍부한 경험을 얻었을 시기입니다. 이들은 종종 가족과 사회에 대한 책임이 크며, 직업 생활에서는 전문 분야의 선배나 선임 지도자로서의 역할을 맡게 됩니다. 이 시기에는 일반적으로 자신의 경력에서 느낀 성취와 만족감을 바탕으로, 보다 광범위한 사회적 이슈나 가치에 대해 생각하게 됩니다.

그들은 이전 세대보다 기술에 더 익숙하지 않을 수도 있지만, 이들의 경험과 지혜는 사회와 조직에 귀중한 자산이 될 수 있습니다. 이 시기에 있는 사람들은 종종 신기술에 대한 익숙함이 떨어질 수 있지만, 그들의 전문 지식과 신뢰도는 이를 보완하는데 도움이 됩니다.

따라서 50대 성인은 자신의 경력과 경험을 바탕으로, AI 기술에 대한 전략적 사고와 멘토링 역량을 발휘해야 하는 중요한 시기에 진입하게 됩니다. 이러한 역량은 사회와 조직에 큰 가치를 제공하며, AI 시대에 대비하는데 필요한 중요한 능력입니다. 이들에게 필요한 역량은 '전략적 사고'와 '멘토링'입니다.

– **전략적 사고** : AI가 가져오는 변화를 이해하고 이를 바탕으로 조직의 비전과 전략을 설정하는 능력으로 개인적인 생활이나 일터에서 어떻게 활용할 수 있는지 고민하는 것이 중요합니다. 예를 들어, AI의 도입이 조직에 미치는 장기적인 영향을 분석하고, 이를 통해 기업 전략을 수립하거나 수정하는 것이 이에 해당합니다.

– **멘토링** : 자신의 지식과 경험을 후배나 팀원들에게 전달하고 지원함으로써 조직 내에서의 협력과 성과 향상에 기여할 수 있습니다. 예를 들어, AI 도입과 관련된 경험을 가지고 있다면, 그들은 후배나 팀원들에게 AI의 잠재력과 활용 방안을 설명하고, AI 기반 프로젝트에서의 효과적인 접근 방법을 제시할 수 있습니다. 또한, 멘토링을 통해 개인들은 조직 내에서 새로운 도전과 학습 기회를 얻을 수 있으며, 이를 통해 지속적인 개인적인 성장을 이룰 수 있습니다.

7.1 60대 성인의 AI 시대 대응: 기술적 적응력과 생활 속 AI 이해로 삶의 질 향상

60대 성인은 삶의 다음 단계로 나아가는 중요한 시기로 일부는 여전히 직장 생활을 이어가거나, 일부는 은퇴를 준비하며 개인적인 삶과 가족에 더 많은 시간과 에너지를 투자하는 시기입니다. 그러나 많은 60대 성인들도 여전히 활발하게 사회 활동을 이어가며, 그들의 전문 지식과 경험은 사회와 공동체에 큰 가치를 제공합니다. 성숙한 지혜와 평온한 사고력을 가지고 있기에 그들은 AI 기술을 활용하여 생활의 편의성을 높이고, 자신의 경험과 지식을 나누어 주변 사람들에게 지원할 수 있습니다. 이들에게 필요한 역량은 '기술적 적응력'과 '생활 속의 AI 이해'입니다.

- 기술적 적응력 : 디지털 기술에 익숙하지 않을 수 있습니다. 따라서 기본적인 디지털 기술 이해는 필수적입니다. 새로운 기술 도입에 유연하게 대처하고, 기술 변화에 따른 생활 변화에 적응하는 능력을 의미합니다. 예를 들어, 스마트폰이나 태블릿에서 사용하는 다양한 AI 기반 앱을 효과적으로 사용할 수 있는 능력이 이에 해당합니다.

- 생활 속의 AI 이해 : 60대 성인들이 일상 생활에서 AI 기술을 어떻게 활용할 수 있는지 이해하고, 이를 적절하게 활용하는 능력을 말합니다.

예를 들어, 스마트 홈 시스템을 활용할 수 있습니다. 스마트 홈 시스템은 음성 인식 기술이나 센서를 통해 집 안의 조명, 난방, 보안 시스템 등을 자동으로 제어하는 시스템입니다. 이를 통해 편리하고 효율적인 생활을 할 수 있습니다. 예를 들어, 음성 명령으로 조명을 조절하거나, 원격으로 난방 시스템을 제어할 수 있습니다. 또한 건강관리, 금융, 쇼핑 등 다양한 분야에서 AI 서비스가 활용되고 있습니다. 이러한 서비스를 이해하고 효과적으로 활용하는 능력이 필요합니다.

이렇게 60대 성인들은 기술적 적응력과 일상 생활에서 AI를 활용하는 능력을 발휘하여 삶의 질을 높일 수 있습니다. 이러한 역량은 이들이 AI 시대에 적응하고, 자신의 삶을 향상시키는 데 큰 도움이 될 것입니다.

8.1 노년층의 AI 시대 대응: 디지털 기기 사용과 온라인 서비스 이해로 더 나은 삶을 즐기다.

노년층은 오랜 인생 경험과 다양한 지식을 축적해왔습니다. 이들은 직업, 가족, 사회적 활동 등에서 다양한 경험을 통해 폭넓은 시야와 풍부한 지식을 보유하고 있고 성숙한 심리적 안정을 갖추었으며, 문제를 해결하고 결정을 내리는 데 있어서 현명하고 객관적인 사고를 펼칠 수 있습니다. 이들은 상황을 차분하게 판단하고, 지혜로운 결정을 내릴 수 있는 경험을 갖고 있기에 인공지능과 함께하는 미래를 대비하는 자세에도 열린 마음과 삶에 대한 긍정적인 태도를 보일 수 있습니다. 그들이 갖추어야 할 역량은 '디지털 기기 사용'과 '인터넷 및 온라인 서비스의 이해', '사이버 안전 및 보안 의식'입니다.

– 디지털 기기 사용 : 노년층은 스마트폰, 태블릿, 컴퓨터 등의 디지털 기기를 적극적으로 사용하는 능력이 필요합니다. 예를 들어, 스마트폰을 이용하여 온라인 쇼핑을 하거나, 은행 업무를 처리하는 등의 일상적인 활동을 수행할 수 있습니다. 이를 통해 편리하고 더 많은 서비스를 이용할 수 있습니다.

– 인터넷 및 온라인 서비스 이해 : 인터넷의 기본 개념을 이해하고, 온라인 서비스를 활용하는 방법을 익히는 것이 중요합니다. 예를 들어, 인터넷을 통해 정보를 검색하거나, 이메일을 주고받는 등의 기본적인 온라인 활동을 수행할 수 있습니다. 이를 통해 노년층은 더 다양한 정보와 소통의 기회에 접근할 수 있습니다.

– 사이버 안전 및 보안 인식 : 노년층은 온라인 활동을 할 때 사이버 안전과 개인정보 보호에 대한 인식을 갖추어야 합니다. 예를 들어, 이메일 스팸 메일을 구분하고 피싱 사기에 노출되지 않도록 주의를 기울일 수 있습니다. 이를 통해 개인 정보 유출 및 금전적 손실을 방지할 수 있습니다.

무엇보다 노년층에게 특히 중요한 것은 건강을 유지하는 것이며, 이에 따라 그들은 여가 활동, 식사, 운동 등 일상생활의 여러 측면에서 건강한 선택을 하는 데 집중합니다. 따라서 AI와 같은 새로운 기술을 활용하여 이러한 생활 패턴을 유지하고 개선하는 데 관심을 가질 수 있습니다.

또한, 가족이나 친구와의 소통을 위해 디지털 기술에 대한 이해도가 필요할 수 있습니다. 이는 이들이 사회와 연결되어 있음을 느끼고, 지속적인 자기 발전을 유지하며 적응력을 유지할 수 있도록 돕습니다. 이런 기술들을 이해하고 활용하는 것은 그들이 세상과의 연결을 유지하고 삶의 질을 향상시키는 데 큰 도움이 됩니다.

결론

9.1 준비된 AI 세대, 연령대별 역량과 전략으로 미래에 성장하기

지금까지 우리가 살펴본 AI 시대를 위한 준비는 연령대별로 다양한 대응 전략과 필요 역량을 요구합니다. 각 연령대는 자신의 특징과 상황에 맞게 AI 시대에 대응하고 발전해야 합니다. 다시 간략하게 정리를 해보자면,

청소년은 윤리적 측면과 디지털 리터러시를 강화하여 AI의 잠재력을 이해하고 활용할 수 있어야 합니다. 20대와 30대 성인들은 크리티컬 씽킹과 AI와의 협업 능력을 갖추고, 학습과 리더십을 통해 AI 시대의 도전에 대비해야 합니다.

중장년층은 기술적인 적응력과 전략적 사고, 멘토링과 같은 역량을 키워야 합니다. 이들은 AI 기술을 활용하고 변화를 주도하는 역할을 맡을 수 있습니다.

노년층은 디지털 기기 사용, 인터넷 이해, 사이버 안전 및 보안 인식 등의 역량을 강화하여 AI 기술을 적극적으로 활용하고 삶의 편의를 높일 수 있어야 합니다.

AI 시대에는 각 연령대가 자신의 특징과 갖고 있는 잠재력을 활용하여 현대 사회에서 더욱 적극적으로 참여하고 성장할 수 있습니다. 이 책은 각 연령대별로 필요한 역량과 대응 전략을 다루며, 독자들이 AI 시대의 도전과 기회를 잘 이끌어갈 수 있도록 돕고자 합니다.

각 연령대는 서로 다른 역량과 경험을 가지고 있으며, 상호 협력과 지원을 통해 AI 시대를 함께 대비할 수 있습니다. 연령대별로 적절한 역량을 갖추고 지속적인 학습과 발전을 추구함으로써, 우리는 AI 시대의 변화에 대비하고 발전해 나갈 수 있을 것입니다. 이러한 역량들은 인공지능 기술의 발전과 함께 사회가 변화하는 방식을 이해하고, 그 변화에 적응하며 효과적으로 활용하는 데 도움이 될 것입니다.

AI 시대는 우리에게 많은 변화를 가져오고 있습니다. 이 변화에 적응하고, AI 시대를 성공적으로 대비하기 위해서는 우리 모두가 적절한 역량을 갖추어야 합니다. 이 책은 여러분이 AI 시대를 잘 대비할 수 있도록, 연령대별로 필요한 역량과 이를 위한 전략을 제시하였습니다. 각자의 연령대와 상황에 맞추어 이를 참고하시고, AI 시대를 위한 여러분만의 준비를 시작하시기 바랍니다. 준비가 되었다면, 우리는 AI 시대의 도전과 기회를 효과적으로 대응하며, 미래사회에서 더욱 적극적으로 참여할 수 있을 것입니다. 인공지능의 미래는 우리 모두에게 열려 있습니다. 이 변화의 주인공이 되어, 새로운 기회를 만드는 데 함께 동참할 수 있기를 진심으로 응원합니다.

AI 시대를 위한 준비 – 연령대별 대응 전략 및 갖추어야 할 우리의 역량 –끝–

미래 교육환경에서의 AI 활용_송은미

- 목차 -

70

인공지능(AI)이 초등학교, 중학교, 고등학교 및 대학교 교육 분야에서 어떻게 활용될 수 있는지에 대해 알아보고자 합니다. AI의 발전은 교육 방식과 학습 경험에 혁명적인 변화를 가져올 것으로 예상됩니다. 각 학교 단계에서 AI의 활용 가능성에 대해 살펴보고자 합니다.

I. 초등학교에서의 AI 활용

초등학교에서의 AI 활용은 개인화된 학습 경험을 제공하여 학생들의 학습 효과를 극대화할 수 있습니다. AI를 통해 학습 스타일 분석, 학습 진도 조정, 자동화된 평가와 피드백, 학습 동기 부여, 학습 어려움 극복, 학부모와의 소통 등 다양한 영역에서 개인화된 학습 경험을 제공할 수 있습니다. 이를 통해 학생들은 자신에게 맞는 학습 환경에서 더욱 효과적으로 학습할 수 있으며, 학습 성과와 동기 부여를 향상시킬 수 있습니다.

학생들이 학습하는 과정에서 지원과 도움을 받을 수 있는 기회를 제공합니다. AI를 통해 질문에 대한 답변, 개념 설명과 보충 자료 제공, 학습 자료 및 연습 문제 제공, 학습 진도 추적과 개인별 지원, 학습 동기 부여와 참여 유도, 다양한 학습 자원의 접근성 개선 등 다양한 방식으로 학생들을 지원할 수 있습니다. 이를 통해 학생들은 더욱 효과적으로 학습하고 자신의 능력을 향상 시킬수 있습니다.

A. 개인화된 학습 경험 제공

1. 학습 스타일 분석: AI 시스템은 학생들의 학습 스타일과 특성을 분석하여 개인별로 최적화된 학습 경로를 제시할 수 있습니다. 예를 들어, 어떤 학생은 시각적인 자극에 민감하고 다른 학생은 청각적인 자극에 민감할 수 있습니다. AI는 이러한 차이점을 파악하고, 학생 개개인에게 맞춤형 교육 자료를 제공함으로써 학습 효과를 극대화할 수 있습니다.

2. 학습 진도 조정: AI는 학생들의 학습 진도를 실시간으로 추적할 수 있습니다. 학생이 어떤 개념에서 어려움을 겪고 있는지, 어떤 개념은 이미 잘 이해하고 있는지를 파악할 수 있습니다. 이 정보를 기반으로 AI는 개별 학생의 학습 진도에 맞춰 과제와 문제를 조정할 수 있습니다. 어려운 개념을 다시 복습하거나 새로운 도전을 제시하여 학생의 학습 경험을 최적화할 수 있습니다.

3. 자동화된 평가와 피드백: AI 시스템은 학생들의 학습을 자동으로 평가하고 개별적인 피드백을 제공할 수 있습니다. 학생이 문제를 푸는 과정을 모니터링하고, 오답을 바로잡거나 올바른 해결 방법을 안내함으로써 학생들이 자신의 실력을 정확히 파악하고 성장할 수 있습니다. 또한 AI는 학생의 오답 패턴을 분석하여 개인적인 약점을 식별하고, 이를 보완할 수 있는 맞춤형 학습 자료를 제공할 수도 있습니다.

4. 학습 동기 부여: AI 시스템은 학생들을 학습에 동기 부여할 수 있는 요소를 제공할 수 있습니다. 예를 들어, 학습 도중에 얻은 성취를 시각적으로 표현하여 학생들에게 보상감을 주고, 동기를 부여할 수 있습니다. 또한 AI는 학생들의 학습 관심사와 선호도를 파악하여 학습 자료를 선택하는 데 활용할 수 있습니다. 예를 들어, 학생이 특정 주제에 흥미를 보인다면 AI는 해당 주제와 관련된 보다 심화 된 학습 자료를 추천하여 학생의 흥미와 참여도를 높일 수 있습니다.

5. 학습 어려움 극복: AI는 학생들이 학습 도중 어려움을 겪을 때 추가 지원을 제공할 수 있습니다. 예를 들어, 학생이 특정 개념을 이해하지 못하는 경우 AI는 보다 쉽고 명확한 설명을 제공하여 개념을 이해하는 데 도움을 줄 수 있습니다. 또한 AI는 학생들에게 추가 예제나 연습 문제를 제시하여 학습을 강화할 수 있습니다.

6. 학부모와의 소통: AI 시스템은 학부모와의 소통을 강화하는 데에도 도움을 줄 수 있습니다. AI를 통해 학부모는 자녀의 학습 진도와 성적, 학습 경과 등에 대한 실시간 정보를 확인할 수 있습니다. 이를 통해 학부모는 자녀의 학습 상황을 파악하고, 필요한 지원이나 보충학습을 위한 조치를 취할 수 있습니다.

B. 학습 지원 및 도움 제공

1. 질문에 대한 답변 제공: AI 시스템은 학생들이 학습 도중 생기는 질문에 신속하게 답변을 제공할 수 있습니다. 학생들이 의문을 품거나 개념을 이해하기 위해 궁금한 점이 생겼을 때, AI는 즉각적으로 관련 정보를 제공하여 학생들의 궁금증을 해결할 수 있습니다. 이를 통해 학생들은 더욱 원활하게 학습에 집중할 수 있습니다.

2. 개념 설명과 보충 자료 제공: AI는 학생들이 어려움을 겪는 개념을 설명하고 보충 자료를 제공할 수 있습니다. 학생이 특정 개념을 이해하지 못하거나 추가적인 설명이 필요한 경우, AI는 다양한 방식으로 개념을 설명하고 예시를 제시하여 학생의 이해도를 높일 수 있습니다. 또한 AI는 학생들에게 관련된 학습 자료나 참고 자료를 추천하여 학습을 보조할 수 있습니다.

3. 학습 자료 및 연습 문제 제공: AI는 학생들에게 학습 자료와 연습 문제를 제공함으로써 학습을 보조합니다. AI 시스템은 학생의 학습 수준과 관심사를 파악하여 적합한 학습 자료를 제시하고, 학습 과정에서 반복적으로 연습할 수 있는 문제를 제공할 수 있습니다. 이를 통해 학생들은 보다 체계적이고 효과적인 학습을 할 수 있으며, 개인적인 학습 수준에 맞춰 성장할 수 있습니다.

4. 학습 진도 추적과 개인별 지원: AI 시스템은 학생들의 학습 진도를 실시간으로 추적할 수 있습니다. 학생들이 어떤 개념에서 어려움을 겪고 있는지, 어떤 개념은 이미 잘 이해하고 있는지를 파악하여 개인별로 지원을 제공할 수 있습니다. AI는 개인별 약점을 식별하고 맞춤형 학습 자료와 피드백을 제공하여 학생들이 자신의 학습을 보완할 수 있도록 도와줍니다. 또한 AI는 학습 진도와 성과를 기록하여 학부모나 교사와의 소통을 강화할 수 있으며, 개인별 지원이나 보완학습의 필요성을 파악할 수 있도록 돕습니다.

5. 학습 동기 부여와 참여 유도: AI 시스템은 학생들의 학습 동기를 부여하고 참여를 유도할 수 있는 요소를 제공할 수 있습니다. 예를 들어, AI는 학습 과정에서 얻은 성취를 시각적으로 표현하거나 보상 시스템을 도입하여 학생들에게 동기 부여를 제공할 수 있습니다. 또한 AI는 학습 게임이나 경쟁 요소를 도입하여 학생들의 참여를 높일 수 있습니다. 이를 통해 학생들은 학습에 적극적으로 참여하며, 학습 결과에 대한 성취감을 느낄 수 있습니다.

6. 다양한 학습 자원의 접근성 개선: AI 시스템은 학생들이 다양한 학습 자원에 접근할 수 있는 환경을 제공합니다. 인터넷 기반의 AI 시스템을 활용하면 학생들은 온라인 강좌, 교육 동영상, 디지털 도서 등 다양한 자원에 접근할 수 있습니다. 이를

통해 학생들은 학교 수업 이외에도 다양한 학습 경험을 할 수 있으며, 자신의 관심 분야를 더욱 깊게 탐구할 수 있습니다.

II. 중학교에서의 AI 활용

중학교에서의 AI 활용은 학습 분석을 통해 개별 학생에게 맞춤형 지원을 제공하는 데 큰 도움을 줄 수 있습니다. AI를 통해 학습 성과 분석, 개인별 학습 경로 설계, 약점 보완과 맞춤형 지원, 학습 동기 부여와 개인별 피드백, 진도 추적과 개별 지원, 진로 지도와 대학 진학 지원 등 다양한 방식으로 학생들을 지원할 수 있습니다. 이를 통해 학생들은 개인적인 학습 요구를 파악하고, 필요한 지원을 받으며 학습에 성장할 수 있습니다. 또한 AI를 활용한 개별 학생 지원은 학교와 학부모 간의 소통을 강화하고 학생들의 학습 성과와 진로 결정을 지원함으로써 간접 교육 경험을 제공할 수 있습니다.

A. 학습 분석을 통한 개별 학생 지원

1. 학습 성과 분석: AI 시스템은 학생들의 학습 성과를 분석하여 강점과 약점을 파악할 수 있습니다. 학생들의 시험 결과, 과제 제출물, 프로젝트 등을 통해 AI는 학생들의 학습 성과를 정량적으로 분석할 수 있습니다. 이를 통해 학생 개개인의 학습 성과를 파악하고, 개별적인 지원 방안을 마련할 수 있습니다.

2. 개인별 학습 경로 설계: AI는 학생들의 학습 성과와 선호도를 종합적으로 분석하여 개인별 학습 경로를 설계할 수 있습니다. 예를 들어, 학생이 특정 주제에서 우수한 성과를 보인다면 AI는 해당 주제와 관련된 심화된 학습 자료를 제공하여 학생의 능력과 동기를 고려한 학습 경로를 제시할 수 있습니다. 이를 통해 학생들은 자신의 학습 수준에 맞춰 더욱 효과적인 학습을 할 수 있습니다.

3. 약점 보완과 맞춤형 지원: AI는 개별 학생의 약점을 식별하고 맞춤형 지원을 제공할 수 있습니다. 예를 들어, 학생이 특정 개념에서 약한 부분을 보여줄 경우, AI는 해당 개념에 대한 보충 자료를 제공하거나 개별적인 연습 문제를 도출하여 학생이 약점을 보완할 수 있도록 돕습니다. 이를 통해 학생들은 개인적인 어려움을 극복하고 학습의 진전을 이룰 수 있습니다.

4. 학습 동기 부여와 개인별 피드백: AI는 학습 동기 부여를 위해 학생들의 학습 성과에 대한 개별적인 피드백을 제공할 수 있습니다. 학생이 과제를 제출하거나 퀴즈를 푸는 과정에서 AI는 즉각적인 피드백을 제공하여 학생들이 자신의 성과를 파악하고 개선할 수 있도록 도와줍니다. 또한 AI는 학습 동기를 부여하기 위해 성과에 따라 보상 시스템을 도입하거나 학습 게임 요소를 활용하여 학생들의 참여를 높일 수 있습니다. 이를 통해 학생들은 자신의 학습 성과에 대한 인식을 가지고 학습에 적극적으로 참여하게 됩니다.

5. 진도 추적과 개별 지원: AI 시스템은 학생들의 학습 진도를 실시간으로 추적할 수 있습니다. 학생들이 어떤 개념에서 어려움을 겪고 있는지, 어떤 개념은 이미 잘 이해하고 있는지를 파악하여 개별 학생에게 필요한 지원을 제공할 수 있습니다. AI는 개인별 약점을 식별하고 맞춤형 학습 자료와 피드백을 제공하여 학생들이 자신의 학습을 보완할 수 있도록 돕습니다. 또한 AI는 학생들의 학습 진도와 성과를 기록하고 이를 학부모나 교사와 공유함으로써 개인별 지원이나 보완학습의 필요성을 파악할 수 있도록 돕습니다.

6. 진로 지도와 대학 진학 지원: AI 시스템은 학생들의 관심 분야와 성향을 분석하여 진로 선택과 대학 진학 과정에서 지원을 제공할 수 있습니다. AI는 학생들에게 다양한 직업과 대학 전공에 대한 정보를 제공하고, 적합한 진로와 대학을 추천할 수 있습니다. 또한 AI는 대학 입시 준비를 위한 자료와 지원을 제공하여 학생들이 더욱 원활하게 진로 결정과 대학 진학을 준비할 수 있도록 돕습니다.

B. 학습 동기 부여와 맞춤형 피드백 제공

1. 학습 동기 부여:

a. 성과 기반 보상 시스템: AI 시스템은 학생들의 학습 성과를 기록하고, 이를 기반으로 성과에 따라 보상을 제공할 수 있습니다. 예를 들어, 학생이 퀴즈를 풀거나 과제를 제출할 때 AI는 성과에 따라 점수를 부여하고, 일정 점수를 달성하면 가상의 상장이나 뱃지와 같은 보상을 제공할 수 있습니다. 이를 통해 학생들은 더욱 노력하고 성과를 향상시키는 데 동기를 부여받습니다.

b. 학습 경쟁 요소 도입: AI 시스템은 학생들 간의 학습 경쟁 요소를 도입하여 학습 동기를 높일 수 있습니다. 학생들은 AI 시스템과의 경쟁을 통해 자신의 성과를 비교하고, 랭킹이나 점수로 경쟁하게 됩니다. 이를 통해 학생들은 더욱 노력하여

상위 순위를 차지하고 다른 학생들과의 경쟁을 통해 학습에 적극적으로 참여할 수 있습니다.

c. 학습 게임 요소 도입: AI 시스템은 학습 과정에 게임 요소를 도입하여 학습 동기를 높일 수 있습니다. 학생들은 학습 게임을 통해 미션을 수행하고 레벨을 올리는 등의 도전과제를 수행하며, 학습의 재미와 흥미를 느낄 수 있습니다. 이를 통해 학생들은 즐겁게 학습에 참여하며 동기를 부여받을 수 있습니다.

2. 맞춤형 피드백 제공:

a. 개별 학습 분석: AI 시스템은 학생들의 학습 데이터를 분석하여 강점과 약점을 식별할 수 있습니다. 학습 도중 학생이 퀴즈를 푸는 경우, AI는 학생의 오답 패턴을 분석하고 개인적인 약점을 식별할 수 있습니다. 이를 통해 AI는 학생 개개인에게 맞춤형 피드백을 제공할 수 있습니다.

b. 즉각적인 피드백 제공: AI 시스템은 학생들이 문제를 푸는 과정을 실시간으로 모니터링하여 즉각적인 피드백을 제공할 수 있습니다. 학생이 오답을 선택하거나 잘못된 접근 방법을 사용하는 경우, AI는 올바른 해결 방법을 안내하고 개념을 보충하는 피드백을 제공할 수 있습니다. 이를 통해 학생들은 오답을 고칠 수 있고, 올바른 방향으로 학습을 진행할 수 있습니다.

c. 맞춤형 학습 자료 제공: AI는 학생들의 학습 수준과 관심사를 파악하여 맞춤형 학습 자료를 제공할 수 있습니다. 학생이 특정 개념에 어려움을 겪는 경우, AI는 해당 개념에 대한 추가적인 설명이나 보충 자료를 제공할 수 있습니다. 또한 AI는 학생들에게 적절한 난이도와 내용의 문제를 제공하여 학습을 보조할 수 있습니다.

d. 개별 진도 추적과 학습 계획 제시: AI 시스템은 학생들의 학습 진도를 추적하고 개별 학생에게 적합한 학습 계획을 제시할 수 있습니다. 학생이 특정 개념을 숙지하고 있지 않거나 뒤처지고 있는 경우, AI는 추가적인 학습 시간이 필요한 개념을 강조하고 복습 자료를 제공할 수 있습니다. 이를 통해 학생들은 자신의 진도에 맞춰 학습 계획을 수립하고, 효율적인 학습을 진행할 수 있습니다.

III. 고등학교에서의 AI 활용

고등학교에서의 AI 활용은 학생들의 진로 지도와 대학 진학 과정을 보다 효과적으로 지원하는 데에 큰 도움을 줄 수 있습니다. AI를 활용하여 학생들에게 진로 관련 정보 제공, 대학 탐색과 맞춤형 추천, 학업 및 대학 준비 계획 수립, 대학 입학 자문과 면접 대비, 대학 합격 예측과 대학 비교 분석, 대학 진학 후 경로 추천 등 다양한 영역에서 지원을 제공할 수 있습니다. 이를 통해 학생들은 더욱 자기주도적인 진로 결정과 대학 진학을 위한 준비를 할 수 있으며, 자신의 능력과 관심에 부합하는 적절한 선택을 할 수 있습니다. AI의 활용은 고등학교 학생들이 미래에 대한 비전을 가지고 자신의 진로를 선택하고, 대학 진학 과정에서도 효과적으로 도움을 받을 수 있도록 돕는 데 큰 역할을 할 것입니다.

A. 진로 지도 및 대학 진학 과정에서의 AI 활용

1. 진로 관련 정보 제공: AI 시스템은 학생들에게 다양한 직업과 대학 전공에 대한 정보를 제공할 수 있습니다. AI는 학생들의 관심사와 성향을 분석하여 적합한 직업 분야와 대학 전공을 추천할 수 있습니다. 또한 AI는 산업 동향이나 대학의 입학 기준, 졸업 후 경로 등과 같은 진로 관련 정보를 제공하여 학생들이 잘 생각한 결정을 내리도록 돕습니다.

2. 대학 탐색과 맞춤형 대학 추천: AI 시스템은 학생들의 성적, 관심 분야, 성격 특성 등을 분석하여 맞춤형 대학 추천을 제공할 수 있습니다. AI는 학생들의 요구사항과 대학의 특성을 종합적으로 고려하여 적합한 대학 목록을 제시합니다. 또한 AI는 대학의 교육 프로그램, 입학 전형, 졸업 후 취업률 등과 같은 정보를 제공하여 학생들이 다양한 대학을 탐색하고 선택할 수 있도록 돕습니다.

3. 학업 및 대학 준비 계획 수립: AI 시스템은 학생들의 학업 및 대학 진학 준비를 위한 개인별 계획을 수립할 수 있습니다. AI는 학생들의 성적, 관심 분야, 진로 목표 등을 고려하여 적절한 과목 선택, 공부 방법, 대학 입시 준비 방향 등을 제안합니다. 이를 통해 학생들은 효율적인 학습 및 대학 진학 준비를 위한 계획을 세우고 실행할 수 있습니다.

4. 대학 입학 자문과 면접 대비: AI 시스템은 대학 입학 자문과 면접 대비를 지원하는 데에도 활용될 수 있습니다. AI는 학생들에게 입학 자문을 제공하고, 대학 지원서 작성이나 면접 준비에 도움을 줍니다. AI는 학생들에게 대학 입학 자소서 작성 시 과제 선정, 글 구조, 어휘 선택 등에 대한 조언을 제공할 수 있습니다. 또한 AI는 대학

면접을 위한 자세와 응답 방법에 대한 훈련을 제공하여 학생들이 자신을 잘 어필하고 면접에서 더 좋은 인상을 남길 수 있도록 돕습니다.

5. 대학 합격 예측과 대학 비교 분석: AI 시스템은 학생들의 학업 성과와 대학 지원 정보를 분석하여 대학 합격 가능성을 예측할 수 있습니다. AI는 학생들의 성적, 자기소개서, 추천서 등을 기반으로 대학 합격률을 예측하고, 학생들에게 합격 가능성이 높은 대학들을 제안합니다. 또한 AI는 다양한 대학들의 입학 기준, 학문 분야, 교육 방식 등을 분석하여 학생들에게 대학들을 비교 분석하여 선택 과정을 도와줍니다.

6. 대학 진학 후 경로 추천: AI 시스템은 학생들의 대학 진학 후 경로를 추천하는 데에도 활용될 수 있습니다. AI는 학생들의 관심 분야, 성격 특성, 대학 성적 등을 분석하여 적합한 대학 졸업 후 진로를 추천할 수 있습니다. 예를 들어, 학생이 과학 분야에 관심이 있는 경우, AI는 연구 혹은 산업 분야에서의 경력 혹은 대학원 진학 등을 추천하여 학생의 진로 선택을 돕습니다.

B. 개인 학습 경로 설계와 학습 관리

1. 개인 학습 분석: AI 시스템은 학생들의 학습 데이터를 분석하여 강점과 약점을 식별할 수 있습니다. 학생들의 시험 성적, 과제 결과, 퀴즈 점수 등을 통해 AI는 학생 개개인의 학습 성과를 파악할 수 있습니다. 이를 통해 AI는 학생들의 강점을 강화하고 약점을 보완하는 학습 경로를 제시할 수 있습니다.

2. 개인별 학습 계획 수립: AI 시스템은 학생들의 개인적인 학습 요구와 목표를 고려하여 개인별 학습 계획을 수립할 수 있습니다. 학생의 성적, 관심 분야, 진로 목표 등을 분석하여 AI는 학생들에게 적절한 과목 선택, 학습 방법, 자습 시간 등을 제안하여 개인별 학습 계획을 도출합니다. 이를 통해 학생들은 자신의 학습에 집중하고 효율적으로 진행할 수 있습니다.

3. 맞춤형 학습 자료 제공: AI는 학생들의 학습 수준과 관심사를 파악하여 맞춤형 학습 자료를 제공할 수 있습니다. 학생이 특정 개념에 어려움을 겪는 경우, AI는 해당 개념에 대한 추가적인 설명, 보충 자료, 관련 동영상 등을 제공하여 학생의 이해를 돕습니다. 또한 AI는 학습 자료의 난이도나 내용을 조정하여 학생들이 자신에게 맞는 적절한 학습 경험을 할 수 있도록 돕습니다.

4. 개인 학습 진도 추적과 피드백 제공: AI 시스템은 학생들의 개인 학습 진도를 실시간으로 추적하고 피드백을 제공할 수 있습니다. 학생들이 학습 과정에서 어떤 부분에서 어려움을 겪고 있는지, 어떤 부분은 이미 잘 이해하고 있는지를 파악하여 AI는 개인별로 필요한 지원을 제공합니다. 학생이 문제를 풀거나 과제를 수행할 때 AI는 즉각적인 피드백을 제공하여 학생이 오답을 고칠 수 있도록 안내하고, 올바른 접근 방법이나 해결 전략을 제시합니다. 이를 통해 학생들은 즉각적인 피드백을 통해 학습을 보완하고 성취감을 느낄 수 있습니다.

5. 학습 동기 부여와 참여 유도: AI 시스템은 학생들의 학습 동기를 부여하고 참여를 유도할 수 있는 요소를 제공할 수 있습니다. AI는 학습 과정에서 얻은 성과를 시각적으로 표현하거나 보상 시스템을 도입하여 학생들에게 동기 부여를 제공할 수 있습니다. 또한 AI는 학습 게임이나 경쟁 요소를 도입하여 학생들의 참여를 높일 수 있습니다. 이를 통해 학생들은 학습에 적극적으로 참여하며, 학습 결과에 대한 성취감을 느낄 수 있습니다.

6. 대학 진학 지원: AI 시스템은 학생들의 대학 진학을 지원하는 데에도 활용될 수 있습니다. AI는 학생들의 대학 지원서 작성과 대학 면접 준비를 지원할 수 있습니다. AI는 학생들에게 입학 자소서 작성 시 과제 선정, 글 구조, 어휘 선택 등에 대한 조언을 제공하며, 대학 면접을 위한 자세와 응답 방법에 대한 훈련을 제공하여 학생들이 자신을 잘 어필하고 면접에서 더 좋은 인상을 남길 수 있도록 돕습니다.

IV. 대학교에서의 AI 활용

대학교에서의 AI 활용은 학생들에게 맞춤형 강의 및 교육 자료를 제공하여 학습 효과를 극대화하는 데에 큰 도움을 줄 수 있습니다. AI를 활용하여 학습 분석, 적응형 학습 플랫폼 제공, 다양한 형태의 학습 자료 제공, 개인별 진도 추적과 학습 계획 제시, 실시간 질의응답 및 개별 지원, 학습 진도와 성과에 대한 피드백 제공, 학습 추천 시스템 등 다양한 방법으로 학생들에게 맞춤형 강의 및 교육 자료를 제공할 수 있습니다. 이를 통해 학생들은 자신의 학습 요구를 충족시키고, 개인적인 학습 경험을 향상 시킬 수 있습니다. AI의 활용은 대학교 학생들이 자신의 학업 목표를 달성하고 성공적인 학습을 경험하는 데에 큰 도움을 줄 것입니다. 학생들에게 AI를 활용한 연구 및 학문 분야의 혁신을 제공하여 새로운 지식과 기술을 발전시키는 데에 큰 도움을 줄 수 있습니다. AI를 활용하여 의학 및 생명 과학, 자율 주행 및 로봇공학, 에너지 및 환경, 경제와 금융, 예술과 창작, 교육 및 학습 등 다양한 분야에서 혁신적인 연구를 이끌어 낼 수 있습니다. 이러한 연구들은 새로운 지식과 기술을 발전시키며, 사회와 산업의 발전에 기여 할 수 있습니다. 대학교에서 AI를 활용한 연구와 학문 분야의 혁신은 학생들에게 다양한 경험과 기회를 제공하고, 인류의 진보와 발전을 위한 중요한 역할을 할 것입니다.

A. 학생들에게 맞춤형 강의 및 교육 자료 제공

1. 학습 분석을 통한 개별 학습 요구 파악: AI 시스템은 학생들의 학습 데이터를 분석하여 개별 학습 요구를 파악할 수 있습니다. 학생들의 학습 성과, 퀴즈 결과, 과제 평가 등을 분석하여 학생들의 강점과 약점을 식별할 수 있습니다. 이를 통해 AI는 개별 학생들에게 필요한 지식과 개념을 강조하고 보완할 수 있는 맞춤형 강의와 교육 자료를 제공할 수 있습니다.

2. 적응형 학습 플랫폼 제공: AI 시스템은 학생들에게 적응형 학습 플랫폼을 제공할 수 있습니다. AI는 학생들의 학습 스타일, 학습 속도, 선호하는 학습 방법 등을 파악하여 학생 개개인에게 적합한 학습 경험을 제공할 수 있습니다. 예를 들어, 학생이 시각적인 학습을 선호하는 경우 AI는 시각적인 자료와 그래픽을 활용한 강의 자료를 제공하여 학생의 이해를 돕습니다.

3. 학습 자료의 다양한 형태 제공: AI 시스템은 학생들에게 다양한 형태의 학습 자료를 제공할 수 있습니다. AI는 텍스트, 이미지, 동영상, 시뮬레이션 등 다양한 형식의 자료를 활용하여 학습 경험을 향상시킬 수 있습니다. 학생들은 자신에게 가장 효과적인 학습 방식을 선택하고, AI가 제공하는 다양한 자료를 활용하여 개인적인 학습 요구를 충족시킬 수 있습니다.

4. 개인별 진도 추적과 학습 계획 제시: AI 시스템은 학생들의 학습 진도를 실시간으로 추적하고 개인별 학습 계획을 제시할 수 있습니다. AI는 학생들의 학습 성과와 진도를 기록하고, 개별 학생들에게 적합한 학습 계획을 제시합니다. AI는 학생들의 진도와 성취 수준을 파악하여 어떤 개념을 강화해야 하는지, 어떤 주제에 대해 복습이 필요한지 등을 제시합니다. 학생들은 AI의 지도를 통해 자신의 학습 진도를 파악하고, AI가 제안하는 학습 계획에 따라 학습을 진행할 수 있습니다.

5. 실시간 질의응답 및 개별 지원: AI 시스템은 학생들의 질문에 실시간으로 응답하고 개별 지원을 제공할 수 있습니다. 학생들이 강의 도중 질문을 하면 AI는 자동으로 해당 질문을 분석하고, 적절한 답변을 제공합니다. 또한 AI는 학생들이

자주하는 질문과 오해하기 쉬운 개념에 대한 설명을 사전에 제공하여 학생들이
자신의 의문을 해결할 수 있도록 돕습니다.

6. 학습 진도와 성과에 대한 피드백 제공: AI 시스템은 학생들의 학습 진도와 성과에
대한 피드백을 제공합니다. AI는 학생들의 과제 제출, 퀴즈 결과 등을 분석하여 학생
개개인의 성과를 평가하고 개선점을 제시합니다. 또한 AI는 학생들에게 학습 성과를
시각화하여 제공하며, 학생들이 자신의 진도와 성과를 파악하고 개선 할 수 있는
기회를 제공합니다.

7. 학습 추천 시스템: AI 시스템은 학생들에게 맞춤형 학습 추천을 제공할 수
있습니다. AI는 학생들의 성적, 학습 스타일, 관심 분야 등을 고려하여 적합한 강의나
교재를 추천합니다. 이를 통해 학생들은 자신에게 맞는 학습 자료를 선택하고
효율적인 학습을 할 수 있습니다.

B. AI를 활용한 연구 및 학문 분야의 혁신

1. 의학 및 생명 과학: AI는 의학 및 생명 과학 분야에서 많은 혁신을 가져올 수
있습니다. AI를 활용하여 질병 예측과 진단, 약물 개발, 유전체 연구등에 대한 연구를
수행할 수 있습니다. AI는 거대한 양의 의료 데이터를 분석하여 질병 패턴을
식별하고 개인 맞춤형 치료 계획을 제안할 수 있습니다. 또한 AI는 생명체의 유전체
데이터를 분석하여 유전적인 질환의 원인을 찾아내고, 새로운 치료 방법을 개발하는
데에도 활용될 수 있습니다.

2. 자율 주행 및 로봇공학: AI는 자율 주행 및 로봇공학 분야에서 혁신을 가져올 수
있습니다. AI를 활용하여 자율 주행 차량이 도로에서 안전하게 운행하고, 환경 및
교통 상황에 따라 적절한 결정을 내릴 수 있도록 할 수 있습니다. 또한 AI는
로봇공학 분야에서 인공지능 로봇의 학습과 의사 결정 능력을 향상 시키는 데에도
사용될 수 있습니다. 이를 통해 자율 주행과 로봇공학 분야에서 인류의 삶을
변화시키는 혁신적인 기술과 시스템을 개발할 수 있습니다.

3. 에너지 및 환경: AI는 에너지 및 환경 분야에서도 혁신을 가져올 수 있습니다.
AI를 활용하여 에너지 효율을 높이고, 신재생 에너지 시스템을 최적화하는 연구를
수행할 수 있습니다. AI는 에너지 사용 패턴을 분석하여 에너지 소비를 최소화하고,
에너지 공급을 최적화하는 방법을 제시할 수 있습니다. 또한 AI는 환경 모니터링과
예측을 통해 환경 오염 및 자연재해 예방에도 활용될 수 있습니다.

4. 경제와 금융: AI는 경제와 금융 분야에서 혁신적인 연구를 이끌어 낼 수 있습니다. AI를 활용하여 경제 데이터를 분석하고, 경제 예측 모델을 개발하여 경제 상황을 예측할 수 있습니다. 이를 통해 정책 결정과 투자 전략에 대한 의사 결정을 지원할 수 있습니다. 또한 AI는 금융 분야에서 거래 패턴을 분석하고, 사기 행위를 탐지하는 데에도 활용될 수 있습니다. AI 기반의 자동화된 투자 시스템이나 의사 결정 지원 시스템을 통해 경제와 금융 분야에서의 혁신을 이끌어 낼 수 있습니다.

5. 예술과 창작: AI는 예술과 창작 분야에서도 혁신적인 역할을 할 수 있습니다. AI를 활용하여 음악 작곡, 예술 작품 생성, 영화 스토리 작성 등을 자동화하고 창조적인 작품을 만들어낼 수 있습니다. AI는 예술적인 스타일과 트렌드를 분석하여 예술 작품을 제안하고, 예술가들의 창작 과정을 보조할 수 있습니다. 이를 통해 예술과 창작 분야에서 새로운 아이디어와 표현 방식을 창출할 수 있습니다.

6. 교육 및 학습: AI는 교육 및 학습 분야에서 혁신적인 변화를 가져올 수 있습니다. AI를 활용하여 학생들의 학습 스타일과 수준을 분석하고, 맞춤형 학습 자료와 평가 방법을 제공할 수 있습니다. AI는 개별 학생의 학습 진도를 추적하고, 필요한 개입과 피드백을 제공하여 학생들의 학습 효과를 향상시킬 수 있습니다. 또한 AI 기반의 가상 혹은 증강현실을 활용한 학습 환경을 구성하여 학생들의 참여도와 이해도를 높일 수 있습니다.

초등학교, 중학교, 고등학교 및 대학교에서 AI의 활용 가능성에 대해 알아보았습니다. AI는 개인화된 학습 경험을 제공하고 학습 분석을 통해 학생들을 지원하는데 큰 역할을 할 것으로 예상됩니다. 또한 AI는 학생들의 진로 선택과 대학 진학 과정에서도 도움을 줄 수 있을 것입니다. 이러한 변화들은 학생들의 학습 효과성과 동기 부여에 긍정적인 영향을 미치며, 교육 분야의 혁신과 발전을 이끌어낼 것입니다.

미래 교육환경에서의 AI 활용 -끝-

인공지능 교육의 긍정적 변화와 부작용_양미혜

1. 서문

· 책의 목적과 구성 소개

2. 인공지능 교육의 개요

2.1 인공지능 교육의 정의와 목표

2.2 인공지능 교육의 중요성과 필요성

3. 인공지능 교육으로 인한 긍정적 변화

3.1 자기 학습 능력 강화

· 인공지능 교육이 학습자의 자기 학습 능력 향상에 어떤 긍정적 영향을 미치는지

3.2 개별 맞춤 학습

· 개별 학습자에게 맞춤형 교육 경험을 제공하는 인공지능 교육의 장점

3.3 협력과 상호작용 강화

· 인공지능을 통한 협력과 상호작용을 촉진하는 교육 방법의 변화

4. 부작용과 대응

4.1 인간 간 상호작용 감소

· 인공지능 교육으로 인한 인간 간 상호작용 감소에 따른 부작용

· 대응 방안과 균형 유지의 중요성

4.2 기술 의존도 증가

· 인공지능 교육으로 인한 기술 의존도 증가의 부작용

· 기술 사용 교육과 균형 유지를 위한 방법론

4.3 데이터 개인 정보 보호 문제

· 인공지능 교육에 따른 개인 정보 보호 문제와 관련된 부작용

· 개인 정보 보호를 위한 정책 및 윤리적 가이드라인

5. 미래의 전망과 대안

5.1 윤리적 인공지능 교육의 중요성

· 윤리적인 측면을 고려한 인공지능 교육의 필요성

5.2 인공지능 교육의 발전 방향과 전망

· 인공지능 교육의 미래 동향과 기술적 발전 전망

6. 결론

· 인공지능 교육의 긍정적 변화와 부작용에 대한 종합적인 결론

1. 서문

· 책의 목적과 구성 소개

이 책은 "인공지능 교육의 긍정적 변화와 부작용"에 관한 내용을 다루고 있습니다. 현대 사회에서 인공지능 기술은 우리의 삶과 교육에 혁명적인 변화를 가져왔습니다. 인공지능 기술은 학습, 추론, 자동화 등 다양한 영역에서 우리를 지원하고 도와주는 도구로 활용되고 있습니다.

이 책은 인공지능 교육의 긍정적인 변화와 동시에 발생할 수 있는 부작용에 대해 탐구합니다. 우리는 인공지능 교육을 통해 자기 학습 능력을 강화하고 개별 맞춤 학습 경험을 제공받을 수 있습니다. 또한, 협력과 상호작용을 통해 창의적 문제 해결 능력을 향상시킬 수도 있습니다.

그러나, 이러한 변화와 함께 인간 간 상호작용의 감소, 기술 의존도의 증가, 그리고 데이터 개인 정보 보호 문제 등 부작용이 발생할 수도 있습니다. 이러한 부작용에 대해 경각심을 갖고 대처하고, 윤리적인 측면을 고려한 인공지능 교육을 모색해야 합니다.

이 책에서는 인공지능 교육의 긍정적 변화와 부작용에 대한 상세한 분석을 제시하고, 이에 대한 대안과 전망을 모색합니다. 우리는 미래를 향해 발전하는 인공지능 교육의 중요성을 이해하고, 적절한 조치와 정책을 통해 교육 시스템을 발전시켜야 합니다.

이 책은 인공지능 교육에 관심을 가지는 교육자, 학생, 기술 전문가, 정책 결정자, 그리고 일반 독자들을 위해 쓰여졌습니다. 우리의 교육과 인공지능 기술이 상호작용하며 어떤 변화가 일어나는지 살펴보고, 이를 통해 우리의 미래를 함께 모색해 봅시다.

감사합니다.

2. 인공지능 교육의 개요

2.1 인공지능 교육의 정의와 목적

인공지능 교육은 인공지능 기술을 활용하여 학습자들이 지식을 습득하고 문제를 해결하는 과정을 지원하는 교육 방법입니다. 이를 통해 학습자들은 인공지능 시스템과 상호작용하며 다양한 학습 경험을 얻게 됩니다. 인공지능 교육은 주로 컴퓨터 기반의 학습 도구, 알고리즘, 데이터 분석 등을 활용하여 학습자들의 학습과 성과를 개선하는 데 초점을 둡니다.

인공지능 교육의 목적은 다음과 같습니다:

1. 자기 학습 능력 강화: 인공지능 교육은 학습자들이 자기 주도적으로 학습할 수 있는 능력을 강화합니다. 학습자들은 개인화된 학습 경로를 따라 학습하고, 자신의 관심사와 필요에 맞게 커리큘럼을 조정할 수 있습니다. 이를 통해 학습자들은 자기 학습 능력을 향상시키며, 지식 습득과 문제 해결 능력을 개발할 수 있습니다.

2. 개별 맞춤 학습 제공: 인공지능 교육은 개별 학습자에게 맞춤형 학습 경험을 제공합니다. 학습자들의 학습 수준, 선호도, 학습 스타일 등을 분석하여 최적의 학습 환경을 조성합니다. 이를 통해 학습자들은 개별적인 학습 Bedding 방식으로 학습 결과를 최대한 효과적으로 발휘할 수 있습니다.

3. 협력과 상호작용 강화: 인공지능 교육은 학습자들 간의 협력과 상호작용을 강화시킵니다. 학습자들은 인공지능을 통해 다른 학습자들과 함께 문제를 해결하고 토론할 수 있습니다. 이를 통해 학습자들은 소통 및 협력 능력을 향상시키며, 창의적 문제 해결과 집단 협업의 경험을 쌓을 수 있습니다.

4. 인공지능 기술의 이해와 활용을 위해 인공지능 교육이 필요합니다.

2.2 인공지능 교육의 중요성과 필요성

인공지능 교육은 현대 사회에서 매우 중요한 역할을 수행하고 있습니다. 다음은 인공지능 교육의 중요성과 필요성에 대한 몇 가지 이유입니다:

1. 산업과 경제의 변화: 4차 산업혁명 시대에서는 인공지능과 기계학습 등의 기술이 기업과 산업 부문에서 핵심 역할을 하고 있습니다. 이에 따라 인공지능

교육은 학습자들이 이러한 변화에 적응하고 인공지능 기술을 활용하여 경제적 가치를 창출할 수 있는 능력을 갖추도록 하는 중요한 요소가 되었습니다.

2. 현실적인 문제 해결: 인공지능 기술은 복잡하고 대용량의 데이터를 처리하고 분석하는 능력을 갖추고 있습니다. 이를 활용한 인공지능 교육은 학습자들에게 현실적인 문제를 해결할 수 있는 도구와 기술을 제공합니다. 예를 들어, 의료 분야에서는 인공지능을 활용한 진단 및 치료 지원 시스템이 개발되어 환자의 치료와 건강 관리에 도움을 주고 있습니다.

3. 미래 직업에 대한 대비: 기술의 발전으로 인공지능 기반의 자동화와 자동화된 시스템이 많은 분야에서 일자리를 대체하고 있습니다. 이에 따라 인공지능 교육은 학습자들이 미래 직업 시장에서 경쟁력을 유지하고 새로운 일자리를 창출할 수 있는 능력을 개발하는 데 도움을 줍니다. 학습자들은 인공지능 기술과 함께 협력, 창의성, 문제 해결 등의 능력을 배우고 발전시킬 수 있습니다.

4. 윤리적인 측면의 고려: 인공지능의 발전과 함께 윤리적인 문제들이 제기되고 있습니다. 예를 들어, 알고리즘의 편향성이나 개인 정보 보호 등의 문제가 발생할 수 있습니다. 이러한 이슈에 대응하기 위해 인공지능 교육은 학습자들에게 윤리적인 측면을 고려한 기술 개발과 활용의 중요성을 교육합니다.

인공지능 교육은 이러한 중요성과 필요성을 인식하고, 학습자들이 기술적, 윤리적, 사회적 측면에서 적절하게 인공지능 기술을 이해하고 활용할 수 있도록 지원하는 역할을 수행합니다.

3. 인공지능 교육으로 인한 긍정적 변화

3.1 자기 학습 능력 강화

인공지능 교육은 학습자들의 자기 학습 능력을 강화시키는 데 많은 도움을 줍니다. 전통적인 교육 방식에서는 교사가 학습 과정을 주도하고 지시하는 것이 일반적이었습니다. 그러나 인공지능 교육은 학습자들에게 자기 주도적인 학습 경험을 제공하고, 학습자들 스스로가 학습의 주체가 될 수 있는 환경을 조성합니다.

첫째로, 인공지능은 개인화된 학습 경로를 제공함으로써 학습자들이 자신의 관심사와 필요에 맞추어 학습할 수 있는 기회를 제공합니다. 학습자들은 자신의 선호도, 학습 수준, 학습 방식 등을 고려하여 학습 과정을 조정할 수 있습니다. 예를 들어, 학습자가 특정 주제에 관심을 가지고 있는 경우, 인공지능 시스템은 그와 관련된 추가 자료나 문제를 제공하여 학습자의 흥미를 유발하고 학습 동기를 높일 수 있습니다.

둘째로, 인공지능 교육은 학습자들에게 개별 맞춤 학습 경험을 제공합니다. 각 학습자는 자신의 학습 수준과 성취도에 맞는 커리큘럼을 따르며, 인공지능 시스템은 학습자의 학습 경로를 실시간으로 조정합니다. 이를 통해 학습자는 자신의 강점과 약점을 파악하고 개인별로 최적화된 학습 환경에서 지식을 습득할 수 있습니다. 학습자의 성과에 따라 학습 속도나 난이도가 조절되며, 이는 학습자의 학습 효과를 극대화시킬 수 있습니다.

셋째로, 인공지능은 학습자들에게 피드백과 지속적인 평가를 제공하여 자기 학습을 돕습니다. 학습자는 자신의 학습 진행 상황을 실시간으로 파악하고 개선할 수 있는 피드백을 받을 수 있습니다. 인공지능은 학습자의 오답, 틀린 패턴, 혼동 요소 등을 분석하고 학습자에게 적절한 지시와 힌트를 제공합니다. 이를 통해 학습자는 자신의 실력을 파악하고 약점을 보완하여 지속적인 개인 성장을 이룰 수 있습니다.

자기 학습 능력의 강화는 학습자들의 자기주도적인 학습과 지식 습득 능력을 향상시킵니다. 이는 학습자들이 평생 학습자로서 지식을 습득하고 성장하는 데 필수적인 능력이며, 인공지능 교육은 이러한 능력을 개발하고 강화하는 데 큰 도움을 줍니다.

3.2 개별 맞춤 학습

인공지능 교육은 개별 맞춤 학습을 제공함으로써 학습자들에게 맞춤형 학습 경험을 제공하는 데 중요한 역할을 합니다. 개별 맞춤 학습은 학습자들의 개별적인 학습 수준, 성향, 관심사에 따라 학습 경로와 내용을 최적화하여 개개인에게 최적화된 학습 환경을 조성하는 것을 의미합니다.

첫째로, 인공지능 교육은 학습자들의 학습 수준과 성취도를 실시간으로 모니터링하고 평가할 수 있습니다. 인공지능 시스템은 학습자의 학습 결과와 진행 상황을 분석하여 학습자의 개인적인 성취도를 평가합니다. 이를 통해 학습자는 자신의 강점과 약점을 파악하고 자신에게 맞는 학습 방법을 개발할 수 있습니다. 개별 맞춤 평가는 학습자의 성장을 정확하게 추적하고 개인별로 적절한 지도 방법과 콘텐츠를 제공함으로써 학습 효과를 극대화할 수 있습니다.

둘째로, 인공지능은 학습자들에게 개인화된 학습 경로를 제공합니다. 학습자들은 자신의 관심사, 선호도, 학습 방식에 따라 최적화된 학습 경로를 따를 수 있습니다. 예를 들어, 학습자가 수학에 관심이 많다면 인공지능 시스템은 수학과 관련된 추가 자료나 도전적인 문제를 제공하여 학습자의 흥미를 유발하고 학습 동기를 높일 수 있습니다. 이렇게 개별 맞춤 학습 경로를 제공함으로써 학습자들은 자신의 흥미와 필요에 맞는 학습을 수행할 수 있으며, 학습 동기와 참여도를 증진시킬 수 있습니다.

셋째로, 인공지능은 학습자들에게 적절한 지도와 피드백을 제공하여 개별 맞춤 학습을 지원합니다. 인공지능 시스템은 학습자의 학습 진행 상황과 틀린 패턴을 분석하여 학습자에게 맞춤형 지도와 피드백을 제공합니다. 이를 통해 학습자는 자신의 오답이나 약점을 인식하고 개선할 수 있습니다. 또한, 학습자들은 개인화된 피드백을 받음으로써 자신의 학습 상태를 파악하고 자기 개발의 방향성을 조절할 수 있습니다.

개별 맞춤 학습은 학습자들의 학습 효율과 성과를 향상시킵니다. 각각의 학습자는 자신의 학습 스타일과 능력에 맞는 학습 경로를 따르며, 자신의 성과에 따라 학습 속도와 난이도를 조절할 수 있습니다. 이는 학습자들의 학습 동기와 자기 효능감을 높여 주도적이고 지속적인 학습을 촉진시키는데 도움을 줍니다.

3.3 협력과 상호작용 강화

인공지능 교육은 학습자들의 협력과 상호작용 능력을 강화시키는 데에 큰 도움을 줍니다. 전통적인 교육 방식에서는 학습자들이 주로 개별적으로 공부하고 평가를 받는 경우가 많았습니다. 그러나 인공지능 교육은 학습자들이 인공지능 시스템과 상호작용하고 다른 학습자들과 협력하여 문제를 해결하고 창의적인 사고를 발휘할 수 있는 환경을 제공합니다.

첫째로, 인공지능 교육은 학습자들이 인공지능 시스템과 상호작용하며 문제를 해결하는 경험을 제공합니다. 학습자들은 인공지능 시스템과의 상호작용을 통해 학습 과정에서 도움을 받을 수 있습니다. 예를 들어, 인공지능 시스템은 학습자들이 어려움을 겪는 부분을 식별하고 추가 설명이나 힌트를 제공하여 문제 해결을 돕습니다. 또한, 인공지능 시스템은 학습자들이 학습한 내용을 평가하고 개선할 수 있는 평가 도구로 활용될 수 있습니다.

둘째로, 인공지능 교육은 학습자들이 협력과 상호작용을 통해 문제를 해결하는 경험을 쌓을 수 있도록 돕습니다. 학습자들은 인공지능 시스템을 활용하여 다른 학습자들과 함께 공동 작업하고 토론하며 문제를 해결할 수 있습니다. 이를 통해 학습자들은 소통과 협력 능력을 향상시키고 다른 시각과 아이디어를 수용하며 창의적인 해결책을 도출할 수 있는 능력을 키울 수 있습니다. 또한, 그룹 프로젝트나 공동 과제를 통해 학습자들은 문제 해결 능력과 팀워크를 함께 발전시킬 수 있습니다.

셋째로, 인공지능 교육은 학습자들에게 협력과 상호작용을 통해 지식을 공유하고 공동으로 성장할 수 있는 기회를 제공합니다. 학습자들은 인공지능 시스템을 활용하여 자신의 생각과 의견을 나누고 다른 학습자들과 토론할 수 있습니다. 이를 통해 학습자들은 서로의 지식과 경험을 공유하며 팀원 간의 신뢰와 협업을 구축할 수 있습니다. 이러한 협력과 상호작용은 학습자들의 사회적인 관계 형성과 문제 해결 능력을 향상시키는 데에 큰 도움이 됩니다.

협력과 상호작용 강화는 학습자들의 커뮤니케이션, 협업, 문제 해결 능력을 향상시키며 실제 세계에서의 상황에 잘 적응할 수 있는 능력을 기르는 데에 중요한 역할을 합니다. 인공지능 교육을 통해 학습자들은 인공지능 시스템과 다른 학습자들과의 상호작용을 통해 다양한 관점을 수용하고 협업하여 보다 효과적인 문제 해결 방법을 발전시킬 수 있습니다.

4. 부작용과 대응

4.1 인간 간 상호작용 감소

인공지능 교육은 뛰어난 기능과 편리함을 제공하지만, 부작용으로써 인간 간 상호작용 감소의 문제가 발생할 수 있습니다. 인공지능 기술의 발전으로 학습자들은 자주 컴퓨터나 디지털 장치와 상호작용하게 되며, 실제 사회적 상호작용의 기회가 감소할 수 있습니다. 이러한 문제는 다음과 같은 이유로 발생할 수 있습니다:

첫째로, 인공지능 시스템은 개인화된 학습 경로와 컨텐츠를 제공함으로써 학습자들이 개별적으로 학습을 진행할 수 있습니다. 이로 인해 학습자들은 자신의 학습 요구에 맞는 맞춤형 학습 경험을 얻을 수 있지만, 동시에 학습자들 간의 직접적인 상호작용과 소통이 감소할 수 있습니다. 인간 간의 토론, 토의, 그룹 작업 등과 같은 협력과 상호작용이 줄어들게 되면서 학습자들의 사회적인 관계 형성과 커뮤니케이션 능력에 부정적인 영향을 줄 수 있습니다.

둘째로, 인공지능 시스템은 학습자들의 특정 성향과 관심사를 고려하여 개인화된 컨텐츠를 제공합니다. 이로 인해 학습자들은 자신의 선호도에 따라 제한된 정보와 의견에 노출되는 경향이 있습니다. 이는 다양한 시각과 아이디어를 받아들이고 타인과의 대화를 통해 새로운 관점을 얻는 것을 어렵게 할 수 있습니다. 결과적으로, 인간 간의 상호작용이 감소하면서 학습자들의 사회적 관계 형성과 협력 능력에 영향을 미칠 수 있습니다.

이러한 인간 간 상호작용 감소의 문제에 대응하기 위해서는 다음과 같은 대응책이 필요합니다.

첫째로, 인공지능 교육에서는 학습자들에게 협력과 상호작용의 기회를 제공해야 합니다. 학습자들은 그룹 프로젝트, 토론, 팀 기반 작업 등을 통해 상호작용과 협력의 경험을 할 수 있도록 지원되어야 합니다. 이를 위해 학습자들이 함께 작업하고 문제를 해결하는 과정을 촉진하는 협업적인 학습 환경을 조성해야 합니다.

둘째로, 학습자들에게 다양한 시각과 의견에 노출되도록 인공지능 시스템의 개인화 기능을 조절해야 합니다. 학습자들은 다양한 의견과 관점을 수용하고 타인과의 대화를 통해 새로운 아이디어를 얻을 수 있는 기회를 갖게 되어야 합니다. 인공지능 교육에서는 이러한 다양성을 존중하고 촉진하는 커뮤니케이션과 협업의 환경을 구축해야 합니다.

셋째로, 인간 교사와의 상호작용을 강화시켜야 합니다. 인공지능 기술은 교육 환경에서 교사의 역할을 보완하고 학습자들을 지원하는 도구로 활용될 수 있습니다. 인공지능과 인간 교사의 조화로운 상호작용은 학습자들의 자기주도적 학습 능력을 향상시키고 동시에 사회적인 관계 형성과 소통 능력을 발전시킬 수 있습니다.

인간 간 상호작용 감소에 대한 대응은 인공지능 교육의 설계와 구현 단계에서 중요한 고려사항이 되어야 합니다. 학습자들이 풍부한 상호작용과 협력의 경험을 얻을 수 있는 환경을 조성함으로써 사회적인 관계 형성과 소통 능력을 강화시킬 수 있습니다.

4.2 기술 의존도 증가

인공지능 교육은 현대 교육에서 혁신과 발전을 이끌고 있지만, 그로 인해 기술 의존도의 증가와 관련된 부작용이 발생할 수 있습니다. 인공지능 기술의 발전으로 인공지능 교육은 학습자들에게 편리함과 효율성을 제공합니다. 학습자들은 인공지능 기술에 의존하여 문제 해결, 응답 획득, 정보 탐색 등을 자동화하고 가속화할 수 있습니다.

그러나 이러한 기술 의존도 증가로 인해 몇 가지 부작용이 나타날 수 있습니다. 첫째, 학습자들의 자체 문제 해결 능력이 저하될 수 있습니다. 인공지능 시스템은 정확하고 신속한 답변이나 해결책을 제공하여 학습자들의 문제 해결 능력을 약화시킬 수 있습니다. 학습자들은 쉽게 정답을 얻을 수 있어 독립적인 사고와 창의력을 발휘하지 않을 수 있으며, 실제 세계에서 문제를 해결하는 데 제약을 받을 수 있습니다.

이러한 부작용에 대응하기 위해서는 자체 문제 해결 능력을 강화하는 대응책이 필요합니다. 학습자들에게 자체적인 문제 해결 능력을 강화하는 학습 방법을 도입하여 문제 분석, 비판적 사고, 창의적인 해결책 발굴 등의 능력을 갖추도록 지원해야 합니다. 인공지능 교육은 자동화된 답변이나 해결책 제공보다는 학습자들의 논리적 사고와 문제 해결 능력을 촉진하는 방향으로 진화해야 합니다.

둘째, 기술의 오류나 결함에 대한 책임 회피가 발생할 수 있습니다. 학습자들이 인공지능 시스템에 지나치게 의존하는 경우, 오류가 발생하거나 잘못된 정보를 받았을 때 책임을 기술에 돌릴 수 있습니다. 이를 대비하기 위해서는 학습자들의 비판적 사고와 정보 검증 능력을 발전시켜야 합니다. 학습자들은 다양한 출처의 정보를 비판적으로 검토하고 신뢰할 수 있는 자료를 판별하는 능력을 향상시켜야 합니다. 인공지능 시스템의 오류나 결함을 인식하고, 학습자들은 자신의 판단을 독립적으로 내릴 수 있는 능력을 기르도록 지원되어야 합니다.

셋째, 인간과의 상호작용 감소가 우려됩니다. 인공지능 교육은 개별화된 학습 경험을 제공할 수 있지만, 동시에 인간 간 상호작용을 감소시킬 수 있습니다.

학습자들은 다른 사람들과의 협력, 소통, 사회적 관계 형성 등의 중요한 기술과 능력을 개발해야 합니다. 이를 해결하기 위해서는 학습자들 간의 협력과 상호작용을 강화할 수 있는 환경을 조성해야 합니다. 학습자들은 함께 작업하고 문제를 해결하는 과정에서 상호작용을 경험하고 사회적인 관계 형성과 소통 능력을 발전시킬 수 있도록 지원되어야 합니다.

인공지능 교육은 현대 교육에서 혁신과 발전을 이끌고 있지만, 기술 의존도의 증가는 일부 부작용을 야기할 수 있습니다. 이로 인해 학습자들은 기술에 지나치게 의존하게 되며, 자체적인 문제 해결 능력과 비판적 사고, 인간과의 상호작용 등이 저하될 수 있습니다. 인공지능 교육에서 기술 의존도 증가에 대응하기 위해서는 학습자들의 자체 문제 해결 능력을 강화하고, 비판적 사고와 정보 검증 능력을 발전시키며, 협력과 상호작용을 촉진하는 환경을 조성해야 합니다. 이를 통해 학습자들은 인공지능 기술을 효과적으로 활용하면서도 독립적인 사고와 문제 해결 능력을 갖출 수 있습니다.

이러한 기술 의존도 증가에 대응하기 위해서는 기술사용 교육과 균형 유지를 위해 대응책이 필요합니다. 이를 위해 기술사용 교육 강화와 자체 문제 해결 능력 강화가 중요한 역할을 합니다.

기술사용 교육은 학습자들에게 인공지능 기술의 동작 원리, 한계, 윤리적 쟁점 등을 이해하도록 도와줍니다. 학습자들은 인공지능 시스템의 작동 방식, 데이터의 활용, 알고리즘의 동작 원리 등을 학습하여 인공지능 시스템의 잠재적인 한계와 오류에 대한 인식을 제고합니다. 또한, 기술의 장점과 한계를 이해하며, 적절한 상황에서의 기술 사용을 습득합니다.

자체 문제 해결 능력 강화는 기술 의존도가 증가하면서 학습자들의 자체 문제 해결 능력이 감소하는 경향을 극복하기 위한 중요한 대응책입니다. 인공지능 교육은 학습자들에게 비판적 사고, 문제 분석, 창의적인 해결책 도출 등의 능력을 발전시킬 수 있는 학습 환경을 제공합니다. 학습자들은 주어진 문제에 대해 자체적으로 생각하고 분석하는 과정을 거치며, 자신의 문제 해결 능력을 향상시킵니다. 이를 통해 학습자들은 독립적인 사고와 창의력을 발휘하며, 실제 세계에서 다양한 문제를 해결할 수 있는 능력을 키웁니다.

기술 의존도 증가에 따른 기술사용 교육과 균형 유지를 위해서는 기술사용 교육을 강화하고, 학습자들의 자체 문제 해결 능력을 강화하는 것이 필요합니다. 이를 통해 학습자들은 기술을 효과적으로 활용하면서도 독립적인 사고와 문제 해결 능력을 갖출 수 있으며, 인간과의 상호작용을 적극적으로 유지할 수 있습니다. 이러한 균형된 접근은 학습자들이 지속적인 성장과 발전을 이루며 현대 사회에서 성공적으로 적응할 수 있는 능력을 갖출 수 있도록 도와줍니다.

이를 위한 구체적인 대응 방법의 첫째로, 학습자들에게 자체적인 문제 해결 능력을 강화시키는 학습 방법을 도입해야 합니다. 인공지능 기술을 보조 도구로 활용하면서도 학습자들이 문제를 분석하고 독립적으로 해결할 수 있는 기회를 제공해야 합니다. 이는 학습자들의 비판적 사고, 창의력, 문제 해결 능력을 향상시키는 데 도움을 줄 수 있습니다.

둘째로, 학습자들에게 정보 검증과 신뢰할 수 있는 자원을 활용하는 능력을 강조해야 합니다. 인공지능 기술이 제공하는 정보를 받아들일 때 학습자들은 비판적 사고와 정보 검증 능력을 발휘할 수 있어야 합니다. 학습자들은 오류나 편향성이 있는 정보를 인식하고, 신뢰할 수 있는 자료와 다양한 출처를 참고하여 판단할 수 있어야 합니다.

셋째로, 교사와의 상호작용과 피드백을 강화시켜야 합니다. 인공지능 기술은 교사의 역할을 보조하고 학습자들을 돕는 도구로 사용될 수 있습니다. 교사는 학습자들과의 상호작용을 통해 기술에 대한 의존도를 조절하고, 학습자들의 비판적 사고와 독립적인 문제 해결 능력을 지원해야 합니다.

기술 의존도 증가에 대응하기 위해서는 학습자들이 자체적인 문제 해결과 비판적 사고를 발전시킬 수 있는 학습 환경을 조성해야 합니다. 인공지능 교육은 인간과 기술의 조화를 추구하며, 학습자들이 독립적인 사고와 창의력을 발휘하며 실제 세계에서 문제를 해결할 수 있도록 지원해야 합니다.

4.3 데이터 개인 정보 보호 문제

인공지능 교육은 많은 양의 데이터를 수집하고 분석하여 개인화된 학습 경험을 제공하는 데 사용될 수 있습니다. 그러나 이러한 데이터 수집과 활용은 데이터 개인 정보 보호 문제를 야기할 수 있습니다. 개인 정보의 수집, 저장, 처리 및 공유 과정에서 학습자들의 개인 정보가 노출될 가능성이 있으며, 이는 다음과 같은 문제를 야기할 수 있습니다:

첫째로, 학습자들의 개인 정보가 불법적으로 수집되거나 부적절하게 사용될 수 있습니다. 인공지능 시스템은 학습자들의 행동 패턴, 학습 기록, 개인 신상 정보 등 다양한 개인 정보를 수집할 수 있습니다. 이러한 정보가 유출되거나 불법적으로 사용될 경우, 학습자들의 개인 정보 보호와 개인의 권리가 침해될 수 있습니다.

둘째로, 데이터 개인 정보 보호 문제는 학습자들의 신뢰와 개인 정보 보안에 대한 우려를 야기할 수 있습니다. 학습자들은 자신의 개인 정보가 안전하게 보호되지 않을 경우 학습 환경에 대한 불안감을 느낄 수 있습니다. 이는 학습자들의 학습 동기와 참여도를 저하시킬 수 있으며, 학습자들은 개인 정보 보호에 대한 신뢰가 확립되지 않은 경우 자신의 정보를 공유하거나 인공지능 시스템을 활용하는 것에 주저할 수 있습니다.

이러한 데이터 개인 정보 보호 문제에 대응하기 위해서는 정책과 윤리적 가이드라인을 마련해야 합니다. 이를 통해 학습자들의 개인 정보를 보호하고 개인 권리를 존중하는 동시에 학습자들에게 안전하고 신뢰할 수 있는 환경을 제공할 수 있습니다.

첫째로, 개인 정보 보호에 대한 법적인 규제와 정책을 마련해야 합니다. 인공지능 교육에서는 개인 정보 수집, 저장, 처리, 공유에 대한 명확한 규정이 필요합니다. 학습자들의 개인 정보를 적절하게 보호하기 위해 법적인 보호장치를 마련하고, 교육 기관과 개인 정보 수집 및 처리 담당자는 개인 정보 보호 정책을 준수해야 합니다.

둘째로, 데이터 수집과 활용 과정에서 학습자들의 동의를 얻는 중요성을 강조해야 합니다. 개인 정보를 수집하고 활용하기 위해서는 학습자들로부터 동의를 받아야 합니다. 동의 과정에서는 학습자들에게 개인 정보의 수집 목적, 활용 방법, 보안 조치 등에 대해 명확한 설명을 제공하고 학습자들의 의사를 존중해야 합니다. 또한, 학습자들은 언제든지 동의를 철회할 수 있는 권리를 가지고 있어야 합니다.

셋째로, 데이터 보안에 대한 강력한 시스템과 절차를 도입해야 합니다. 개인 정보는 적절한 기술적, 물리적, 조직적 보호 수단을 통해 안전하게 보호되어야 합니다. 데이터 보안을 위해 암호화, 접근 제어, 감사 추적 등의 보안 시스템을 도입하고, 데이터 처리와 저장에 관련된 규정과 절차를 철저히 시행해야 합니다.

넷째로, 개인 정보 수집 시 필요한 최소한의 정보만을 수집하고, 민감한 개인 정보는 익명화하여 보호해야 합니다. 개인을 식별할 수 있는 정보는 최소한으로 유지되어야 합니다.

다섯째로, 수집된 개인 정보는 학습자의 동의 없이 외부로 공유되거나 제3자에게 액세스되어서는 안 됩니다. 개인 정보의 접근과 공유는 합법적이고 투명한 절차를 따라 이루어져야 합니다.

여섯째로, 데이터 개인 정보 보호에 대한 윤리적 가이드라인을 수립해야 합니다. 이는 데이터 수집, 사용, 공유, 보안 등과 관련된 윤리적 원칙을 제시하고, 개인 정보 보호에 대한 윤리적 책임을 강조합니다.

데이터 개인 정보 보호 문제에 대한 대응은 인공지능 교육의 핵심 요소 중 하나입니다. 학습자들의 개인 정보 보호와 개인 정보 보안을 보장하면서도 개인화된 학습 경험을 제공하는 환경을 조성해야 합니다. 이를 통해 학습자들은 개인 정보의 안전성과 개인 권리의 존중을 느끼며 신뢰할 수 있는 학습 환경에서 학습할 수 있습니다.

5. 미래의 전망과 대안

5.1 윤리적 인공지능 교육의 중요성

인공지능 기술의 발전은 우리 사회에 혁신과 발전을 가져오고 있지만, 이에 따라 윤리적인 측면을 고려한 인공지능 교육의 필요성이 더욱 중요해지고 있습니다. 인공지능 교육에서 윤리적인 측면을 고려하는 것은 학습자들과 사회 전반에 긍정적인 영향을 미치며, 다음과 같은 이유로 중요합니다.

1. 학습자의 보호와 안전성 확보

인공지능 교육에서 윤리적인 측면을 고려하는 것은 학습자들의 보호와 안전성을 확보하는 데 도움을 줍니다.

개인 정보 보호, 학습 데이터의 안전한 관리, 알고리즘의 투명성 등에 대한 윤리적 원칙을 준수함으로써, 학습자들은 개인적인 정보와 권리를 보호받을 수 있습니다.

2. 인간 중심적인 기술 발전

윤리적인 인공지능 교육은 기술 발전을 인간 중심적인 방향으로 이끕니다. 인간의 가치와 윤리를 존중하며, 인공지능 시스템의 설계와 활용에 있어서 학습자들의 복지와 즐거움, 자유 등을 중요시합니다. 이를 통해 인간의 가치와 사회적 요구에 부합하는 기술 발전을 추구할 수 있습니다.

3. 사회적 가치 및 균형 유지

윤리적인 측면을 고려한 인공지능 교육은 사회적 가치와 균형을 유지하는 데 도움을 줍니다.

편향성이나 차별, 부당한 행동 등을 방지하기 위해 학습 데이터의 다양성과 공정성을 확보하고, 인공지능 시스템의 의사 결정 과정을 투명하게 만듭니다. 사회적 평등, 정의, 다양성을 존중하며, 기술의 잠재적인 부작용을 예방하고 균형을 유지할 수 있습니다.

4. 글로벌 기술 윤리와 국제 협력

윤리적인 인공지능 교육은 글로벌 기술 윤리와 국제 협력에도 중요한 역할을 합니다. 국제적인 기술 윤리 표준을 고려하고, 다양한 국가와 기관 간의 협력을 통해 윤리적인 인공지능 교육을 전파하고 발전시킬 수 있습니다.

윤리적인 측면을 고려한 인공지능 교육은 학습자들과 사회의 이익을 보호하고, 인간 중심적인 기술 발전을 이루며, 사회적 가치와 균형을 유지하는 데 중요한 역할을 합니다. 따라서, 미래의 인공지능 교육에서는 윤리적인 측면을 고려한 교육과정과 가이드라인을 개발하여 학습자들이 윤리적인 가치와 원칙을 습득하고 적용할 수 있도록 지원해야 합니다.

5.2 인공지능 교육의 발전 방향과 전망

인공지능 교육의 발전 방향과 전망은 인공지능 교육의 미래 동향과 기술적 발전 전망을 살펴봄으로써 인공지능 교육의 발전 방향에 대해 이해하는 데 중요한 역할을 합니다. 인공지능 기술의 빠른 진화와 적용 분야의 다양성을 고려하면서, 다음과 같은 인공지능 교육의 발전 방향과 전망이 기대됩니다.

1. 맞춤형 학습 환경과 개별화된 교육 경험

인공지능 기술의 발전으로 맞춤형 학습 환경과 개별화된 교육 경험이 가능해질 것으로 전망됩니다. 학습자들은 자신의 학습 스타일과 수준에 맞춘 개별화된 교육을 받을 수 있으며, 인공지능 시스템은 학습자들의 성향과 필요에 따라 커리큘럼, 학습 자료, 평가 방법 등을 자동으로 조정하여 최적화된 학습 경험을 제공할 수 있을 것입니다.

2. 다양한 학습자 지원과 스킬 개발

인공지능 교육은 다양한 학습자를 지원하고 스킬 개발을 도모할 것으로 예상됩니다. 학습자들은 다양한 학습 도구와 자원을 활용하여 자신의 관심 분야를 탐구하고, 필요한 스킬을 습득할 수 있습니다. 또한, 인공지능 시스템은 학습자들의 성과와 피드백을 실시간으로 분석하여 개인의 강점과 약점을 파악하고, 추가적인 지원과 개인화된 학습 계획을 제공할 수 있습니다.

3. 융합적인 학습과 인간-인공지능 협력

인공지능 교육은 다양한 학문 분야와 기술을 융합하여 ganz한 접근 방식을 채택할 것으로 예상됩니다. 학습자들은 인공지능 기술을 활용하여 다양한 영역의 문제를 해결하고, 창의적인 프로젝트를 진행할 수 있을 것입니다. 인공지능 시스템과 학습자들 간의 상호작용과 협력을 강화하여 인간과 인공지능이 상호 보완적으로 작업하고 문제를 해결할 수 있는 환경이 조성될 것입니다.

4. 윤리적 고려와 사회적 책임

인공지능 교육은 윤리적 고려와 사회적 책임을 강조하는 방향으로 발전할 것으로 예상됩니다.

학습자들은 인공지능 시스템의 사용 방법과 영향을 이해하며, 윤리적인 문제에 대한 인식과 판단력을 갖출 것입니다. 또한, 인공지능 교육은 사회적 가치와 공정성을 존중하고, 인공지능 시스템의 투명성과 의사 결정 과정을 개선하기 위해 노력할 것입니다.

인공지능 교육의 발전 방향과 전망은 계속해서 변화하고 진화할 것입니다. 학습자들과 사회의 요구에 부응하며, 인공지능 기술의 발전과 함께 새로운 가능성을 모색하는 데 주안점을 둘 것입니다. 윤리적인 측면과 사회적 책임을 고려하면서 지속적인 혁신과 발전을 이루는 인공지능 교육의 미래에 대한 전망은 밝고 희망적입니다.

6. 결론

인공지능 교육은 현대 교육에 많은 긍정적인 변화를 가져왔으며, 미래에도 더욱 발전할 것으로 전망됩니다. 그러나 인공지능 교육은 동시에 일부 부작용을 가지고 있음을 인지해야 합니다. 따라서, 인공지능 교육의 긍정적인 변화와 부작용을 종합적으로 평가하는 것이 중요합니다.

긍정적인 변화 측면에서, 인공지능 교육은 학습자들에게 맞춤형 학습 경험과 개별화된 교육 기회를 제공합니다. 학습자들은 자신의 학습 스타일과 수준에 맞춘 교육을 받을 수 있으며, 개인의 강점을 발휘하고 필요한 스킬을 개발할 수 있습니다. 또한, 자기 학습 능력의 강화와 개별 맞춤 학습은 학습자들의 성과를 향상시키고, 협력과 상호작용을 강화하여 창의적인 문제 해결과 협업 능력을 키울 수 있습니다.

하지만, 부작용 역시 존재합니다. 인간 간 상호작용의 감소, 기술 의존도 증가, 데이터 개인 정보 보호 등이 주요한 부작용으로 언급됩니다. 인공지능 교육은 학습자들이 기술에 지나치게 의존할 수 있으며, 사회적 상호작용과 인간 간 협력을 감소시킬 수 있습니다. 또한, 데이터 개인 정보 보호 문제는 학습자들의 개인 정보와 권리를 보호하기 위한 정책과 윤리적 가이드라인의 필요성을 제기합니다.

따라서, 인공지능 교육의 종합적인 결론은 다음과 같습니다. 인공지능 교육은 맞춤형 학습과 개별 맞춤 경험을 통해 학습자들의 성과를 향상시키고, 협력과 상호작용을 강화하는 데 긍정적인 영향을 미칩니다. 그러나 부작용과 함께 고려해야 할 문제들도 존재합니다. 따라서, 인공지능 교육의 발전에는 윤리적 고려와 사회적 책임을 고려하여 학습자들의 보호와 안전, 인간 중심적인 기술 발전, 사회적 가치 및 균형 유지를 위한 노력이 필요합니다.

종합적으로, 인공지능 교육은 현대 교육에 혁신과 발전을 가져오는 중요한 요소입니다. 이를 통해 학습자들은 맞춤형 학습 경험을 얻으며 자기 학습 능력과 협력력을 향상시킬 수 있습니다. 그러나 인공지능 교육의 부작용을 인식하고, 윤리적인 측면과 사회적 책임을 고려하여 발전 방향을 제시해야 합니다. 이를 통해 우리는 인공지능 교육을 더욱 효과적으로 활용하고, 긍정적인 변화를 극대화하며 부작용을 최소화하는 데 기여할 수 있을 것입니다.

인공지능 교육의 긍정적 변화와 부작용 -끝-

아이들을 위한 ChatGPT 사용 안내 _ 김옥화

목　차

8. 올바른 정보 탐색 방법

9. 마무리

1. ChatGPT 사용에 대한 이해

ChatGPT는 인공지능을 기반으로 한 대화형 언어 모델입니다. 그 이용은 무한한 가능성을 가지고 있지만, 그것을 올바르게 활용하기 위해서는 사용자가 어떤 도구인지, 그리고 어떻게 작동하는지에 대한 기본적인 이해가 필요합니다. 특히 아이들이 이를 사용할 때에는, 부모나 교육자들이 이러한 이해를 지원해주는 역할을 하는 것이 중요합니다.

예를 들어, 아이들에게 ChatGPT가 어떤 식으로 작동하는지 애니메이션을 통해 시각적으로 보여주는 프로그램이나 활동을 제안해볼 수 있습니다. 이러한 시각적 표현을 통해 아이들은 ChatGPT의 작동 원리를 이해하는데 도움을 받을 수 있습니다.

2. 사용자와 챗봇 간의 의사소통

ChatGPT는 사용자의 질문에 대한 응답을 생성하는 것을 목표로 합니다. 질문을 제기하고, 응답을 이해하고, 필요하다면 더 구체적인 질문을 던지는 과정에서 아이들의 의사소통 능력이 향상될 수 있습니다. 이 과정에서 아이들은 질문을 명확하게 표현하는 방법, 그리고 어떻게 하면 원하는 정보를 얻을 수 있는지에 대해 배울 수 있습니다.

아이들에게는 스토리텔링 게임을 이용하여 ChatGPT와 의사소통하는 방법을 가르치는 것이 좋습니다. 예를 들어, 아이들이 주어진 스토리를 완성하기 위해 ChatGPT에게 질문을 던지고 그에 따른 응답을 이용하여 스토리를 계속 이어나가는 활동을 계획해 볼 수 있습니다.

3. 안전한 사용 및 정보 보호

ChatGPT를 사용함에 있어 중요한 것은 안전한 사용과 개인정보 보호입니다. 아이들에게는 그들의 개인 정보를 공유하면 안된다는 것, 그리고 모든 질문이나 내용이 누군가에게 보여질 수 있다는 것을 알려주는 것이 중요합니다. 부모나 교육자들은 이러한 가이드라인을 제공하고, 아이들이 이를 이해하고 준수하는지 확인해야 합니다.

아이들에게 '개인정보를 보호하는 방법'에 대한 스토리를 만들어 보여주는 것도 효과적입니다. 예를 들어, 책을 통해 또는 영화를 보면서 주인공이 개인정보를 보호하는 방법을 배워가는 과정을 보여줄 수 있습니다.

4. 적절한 사용 시간 설정

사용 시간을 제한하는 것도 중요합니다. 부모나 교육자들은 아이들의 ChatGPT 사용 시간을 제한하고, 그 시간을 효과적으로 활용할 수 있도록 도와줄 수 있습니다. 이는 아이들이 다른 중요한 활동에도 시간을 할애할 수 있게 하고, 과도한 기술 사용으로부터 그들을 보호할 수 있습니다.

아이들에게 '시간 관리'에 대한 게임을 제안해 볼 수 있습니다. 예를 들어, 타이머를 설정하고 그 시간 내에 ChatGPT와의 대화를 통해 특정 정보를 찾아내는 등의 활동을 통해 적절한 사용 시간에 대한 개념을 익히게 할 수 있습니다.

5. 인공지능에 대한 이해 강화

ChatGPT와 같은 인공지능 도구를 사용하는 것은 아이들에게 인공지능에 대한 이해를 키우는 좋은 기회입니다. 그러나 이러한 도구가 어떻게 작동하는지, 그리고 그 한계가 어떤 것인지에 대해 깊이 이해하는 것이 중요합니다. 예를 들어, ChatGPT는 사용자의 질문에 답변하는 데 매우 뛰어난 성능을 보이지만, 그것은 단순히 사전에 학습된 데이터를 기반으로 응답을 생성하는 것이기 때문에, 실시간 정보나 사람처럼 느껴질 수 있는 직관적인 이해를 가지지 못합니다. 이러한 한계를 이해함으로써 아이들은 기술에 대한 과도한 의존을 피하고, 그들의 창의성과 독립적인 사고력을 유지할 수 있습니다.

아이들에게 인공지능이 어떻게 작동하는지, 그리고 그 한계가 무엇인지 설명해주는 책이나 영화를 보여주는 것이 유용합니다. 예를 들어, 인공지능이 특정한 패턴을 학습하고 그것을 기반으로 의사결정을 한다는 것을 간단한 패턴 인식 게임을 통해 설명할 수 있습니다.

ChatGPT의 한계를 보여주는 간단한 실험을 진행해 볼 수 있습니다. 예를 들어, 현재 시각이나 최근의 뉴스 이벤트 같은 실시간 정보에 대한 질문을 던져보게 하여 ChatGPT가 이런 정보에 대해 알지 못한다는 것을 보여줄 수 있습니다.

6. 피드백과 건설적인 비평

아이들이 ChatGPT를 사용하면서 어떤 결과를 얻는지에 대한 피드백을 주는 것도 중요합니다. 이는 기계가 제공하는 응답이 항상 옳은 것이 아니라는 것을 이해하는 데 도움이 될 수 있습니다. 특히 부정확한 정보나 혼란스러운 답변에 대해 아이들이 논리적으로 생각하고 질문하는 능력을 향상시키는 데 도움이 됩니다.

아이들에게 ChatGPT의 응답이 틀린 경우가 있다는 것을 보여주는 활동을 진행해 볼 수 있습니다. 예를 들어, 아이들이 이미 답을 아는 질문을 던져보게 하고, ChatGPT의 답변이 틀린 경우 그것을 수정하도록 도와주는 활동을 추천합니다.

7. 다양한 활용 방법

ChatGPT는 아이들의 교육에 다양한 방식으로 활용될 수 있습니다. 예를 들어, 숙제 도움, 언어 학습, 창의적인 글쓰기 등 다양한 주제에 대해 대화하고 정보를 검색할 수 있습니다. 아이들은 이러한 활동을 통해 자신의 학습에 책임을 가지고, 독립적인 학습자가 될 수 있습니다.

ChatGPT를 활용한 창의적인 글쓰기 활동을 예로 들 수 있습니다. 아이들이 스토리의 시작 부분을 작성한 후, ChatGPT에게 스토리를 계속 이어나가도록 요청해볼 수 있습니다. 그런 다음 아이들은 그 응답을 바탕으로 스토리를 완성하는 활동을 진행할 수 있습니다

8. 올바른 정보 탐색 방법

아이들은 ChatGPT를 사용하여 정보를 탐색하고, 학습하는 능력을 향상시킬 수 있습니다. 그러나 올바른 정보를 얻기 위해서는 올바른 질문을 하는 방법을 배워야 합니다. 이를 위해 아이들은 구체적이고 명확한 질문을 하는 방법, 다양한 출처에서 정보를 확인하는 방법 등을 배울 필요가 있습니다.

아이들에게 '정보 탐색' 게임을 제안해 볼 수 있습니다. 예를 들어, 아이들에게 특정 주제에 대해 가능한 한 많은 정보를 ChatGPT에게 물어보고, 그런 다음 그 정보를 바탕으로 프레젠테이션을 만드는 활동을 추천합니다.

ChatGPT를 함께 사용할 수 있는 학습 도구나 소프트웨어는 여러가지가 있습니다. 아래에 몇 가지를 소개하겠습니다.

Kahoot!: 이는 학생들이 퀴즈 형식으로 지식을 테스트하고 복습할 수 있는 플랫폼입니다. 학생들은 ChatGPT를 사용하여 문제를 만들거나 정답을 찾을 수 있습니다.

Duolingo: 이는 언어 학습을 돕는 인기있는 앱입니다. 학생들은 ChatGPT를 사용하여 새로운 언어를 연습하거나, 복잡한 문법 규칙에 대한 설명을 받을 수 있습니다.

Quizlet: 이는 학습 카드를 만들고 공유하는 플랫폼입니다. 학생들은 ChatGPT를 사용하여 복잡한 개념에 대한 정의를 만들거나, 새로운 학습 카드를 생성하는 데 도움을 받을 수 있습니다.

Wolfram Alpha: 이는 복잡한 수학적 문제를 해결하는데 사용될 수 있는 도구입니다. 학생들은 ChatGPT를 사용하여 복잡한 수학적 개념을 이해하는데 도움을 받거나, 문제를 해결하는 방법을 설명받을 수 있습니다.

Scratch: 이는 아이들이 코딩을 배우고 창의력을 발휘할 수 있는 플랫폼입니다. 아이들은 ChatGPT를 사용하여 프로젝트 아이디어를 생성하거나, 복잡한 코딩 문제를 해결하는데 도움을 받을 수 있습니다.

Google Classroom: 이는 교사와 학생이 숙제나 과제를 공유하고 피드백을 주고받을 수 있는 플랫폼입니다. ChatGPT는 이러한 플랫폼에서 학생들이 과제를 완료하는 데 도움을 줄 수 있으며, 교사들은 ChatGPT를 사용하여 피드백을 제공하거나 학습 자료를 작성하는데 활용할 수 있습니다.

Edmodo: 이는 교사와 학생, 그리고 부모 사이의 커뮤니케이션을 촉진하는 플랫폼입니다. ChatGPT를 사용하여 메시지를 작성하거나 학습 자료를 검토하고 수정하는 데 사용할 수 있습니다.

Khan Academy: 이는 다양한 주제에 대한 수천 개의 비디오 강의를 제공하는 무료 학습 플랫폼입니다. 학생들은 ChatGPT를 사용하여 강의 내용에 대한 질문을 던지거나, 복습 자료를 작성하는 데 활용할 수 있습니다.

Microsoft Teams: 이는 교육 기관에서 가장 많이 사용하는 원격 학습 도구 중 하나입니다. 학생들과 교사들은 ChatGPT를 사용하여 미팅에서 논의된 주제에 대해 추가적인 설명을 받거나, 이해하기 어려운 개념에 대한 도움을 받을 수 있습니다.

Coursera 또는 edX: 이들은 다양한 대학과 기관에서 제공하는 온라인 코스를 제공하는 플랫폼입니다. ChatGPT는 이러한 코스의 내용을 이해하는 데 도움을 줄 수 있으며, 추가적인 학습 자료를 생성하는 데 사용할 수 있습니다.

이런 학습 도구나 소프트웨어들과 함께 ChatGPT를 사용함으로써, 학생들은 학습 경험을 향상시키고, 학습 자료를 더 잘 이해하며, 새로운 개념을 쉽게 습득할 수 있습니다. 물론, 이러한 도구들이 학생들에게 적합하고 도움이 될지는 학생의 학습 스타일, 필요성, 그리고 선호도에 따라 달라질 수 있습니다. 따라서 다양한 도구들을 시도해보고, 어떤 것이 자신이나 아이들에게 가장 적합한지 알아보는 것이 중요합니다.

이와 같이 ChatGPT는 다양한 학습 도구와 소프트웨어와 함께 사용될 수 있으며, 이를 통해 학생들은 학습을 더 흥미롭고 효과적으로 만들 수 있습니다. 이런 도구들을 활용하여 학생들은 자신만의 방식으로 학습을 진행하고, 복잡한 개념을 이해하며, 새로운 지식을 탐구할 수 있습니다.

9. 마무리

ChatGPT는 아이들에게 많은 학습 기회를 제공하지만, 그 사용은 적절함과 통제된 방식으로 이루어져야 합니다. 적절한 안내와 감독 하에, 이 도구는 아이들이 학습하고 탐색하고, 의사소통 능력을 발전시키는 데 큰 도움이 될 수 있습니다. 그러나 그것이 아이들의 창의성이나 독립적인 사고력을 대체하지 않도록 주의해야 합니다. 부모나 교육자들은 아이들이 이 도구를 이해하고, 안전하게 사용하며, 그것의 한계를 인지하고, 그것을 생산적인 방식으로 활용하는 방법을 배울 수 있도록 지원해야 합니다.

아이들이 챗봇과 함께 재미있게 활동할 수 있도록 만들어진 여러 가지 앱이나 프로그램들이 있습니다. 예를 들어, 아이들을 위한 코딩 교육 플랫폼인 'Scratch'처럼, 아이들이 챗봇과 함께 재미있게 학습하고 놀 수 있는 환경을 제공합니다. 이러한 플랫폼들을 통해 아이들은 ChatGPT와 같은 인공지능과 자연스럽게 친해지고, 그것을 올바르게 사용하는 방법을 배울 수 있습니다.

다시 한번 강조하지만, ChatGPT와 같은 인공지능 기술은 도구에 불과합니다. 이 도구가 제공할 수 있는 정보와 기능은 아이들의 학습을 지원하고 확장하는데 사용되어야 하지만, 그것이 학습의 전부가 되어서는 안됩니다. 부모와 교육자들이 이를 염두에 두고 ChatGPT를 교육에 통합하면, 아이들은 이 도구를 통해 많은 것을 배우고 성장할 수 있을 것입니다.

최종적으로, 아이들에게 인공지능과 같은 고급 기술을 사용하는 방법을 가르치는 것은 그들이 미래의 기술 중심 사회에서 경쟁력을 유지하는데 필수적입니다. 이를 위해서는 지속적인 교육, 안전한 사용, 그리고 지속적인 모니터링이 필요합니다. 이런 노력을 통해, 아이들은 이 기술을 올바르게 활용하여 자신의 능력을 최대한 발휘할 수 있을 것입니다.

AI의 창조력: 예술과 문학에서의 인공 지능_박규환

1. AI와 창조력: 새로운 시대의 예술가

    a. AI는 무엇인가

    b. AI가 어떻게 창조력을 발휘할 수 있을까?

2. 아트의 새로운 경계: AI가 만든 아트

    a. AI가 아트를 만드는 방법

    b. AI 아트의 특징과 장단점

        i.   실제로 AI가 만든 아트 작품들

3. 문학의 새로운 페이지: AI가 만든 동화

    a. AI가 어떻게 이야기를 만들 수 있을까?

    b. AI 동화의 특징과 장단점

        i.   실제로 AI가 만든 동화들

4. 인간과 AI: 창조의 조화

    a. AI와 인간이 함께 창조하는 사례

    b. 인간의 창조성과 AI의 창조성이 어떻게 다를까

5. 미래의 예술: AI의 가능성

    a. AI가 아트와 문학 분야에서 앞으로 어떤 가능성을 가지고

    있을까?

1.AI와 창조력: 새로운 시대의 예술가

AI란 무엇일까요?

간단히 말해서, AI는 컴퓨터나 기계가 사람처럼 생각하고 학습하는 능력을 가진 기술을 말합니다. 이 기술은 사람의 언어를 이해하거나, 사진을 인식하거나, 문제를 해결하는 데 사용됩니다. 더 나아가, 요즘에는 AI가 창작활동까지 참여하며 놀라운 창조력을 발휘하고 있습니다.

인공지능(AI)은 사람의 지능을 모방하여 기계가 학습하고 문제를 해결하도록 하는 기술을 말합니다. 이 기술은 컴퓨터가 사람처럼 생각하고 행동하는 방식을 구현하며, 이는 우리의 일상 생활에서 매우 중요한 역할을 하고 있습니다.

우리의 일상 생활에서 AI의 존재는 거의 모든 곳에서 느낄 수 있습니다. 우리의 스마트폰은 우리의 목소리를 인식하고 질문에 답변을 주며, 이는 음성 인식과 자연어 처리 기술에 기반한 것입니다. 가령, Apple의 Siri나 Google Assistant 같은 AI 기반 개인 비서는 사용자의 음성 명령을 받아 다양한 작업을 수행합니다. 예를 들면, 날씨 정보 제공, 알람 설정, 전화 걸기, 음악 재생 등의 작업을 할 수 있습니다.

또한, 우리의 스마트폰은 얼굴 인식 기술을 사용하여 잠금을 해제하는데, 이는 컴퓨터 비전 기술의 한 부분입니다. 이 기술은 카메라를 통해 캡처된 얼굴을 분석하고 사용자의 얼굴과 비교하여 잠금을 해제합니다. 이 외에도 이 기술은 사진 분류, 사물 인식 등에 널리 적용되고 있습니다.

자동차 분야에서는 자율 주행 기술이 빠르게 발전하고 있는데, 이는 또한 AI의 한 분야입니다. 차량에 장착된 센서와 카메라는 주변 환경을 실시간으로

---

[1] 애플이 아이폰X부터 적용한 '페이스ID'의 3D 얼굴인식 투사도(projection). 특정 패턴을 이루는 적외선을 얼굴에 쏘아 얼굴 표면에 닿는 패턴의 변화 정도를 분석해 얼굴 모양을 인식하는 '입체구조광(SL)' 방식이다. 애플 홈페이지 캡처

감지하고, AI는 이 데이터를 분석하여 차량의 움직임을 결정합니다. 이 기술은 테슬라와 같은 회사에서 이미 상용화 단계에 이르렀습니다.

가정 내에서는 AI가 다양한 가전제품에 적용되어 우리의 생활을 더 편리하게 만들고 있습니다. 예를 들어, AI를 기반으로 한 스마트 스피커는 우리의 음성 명령을 듣고 해석하여 음악을 재생하거나 뉴스를 읽어줍니다. 또한, 스마트 홈 시스템은 AI를 활용하여 조명, 온도, 보안 시스템 등을 자동으로 조절합니다.

그리고 최근에는 AI가 창작 활동에도 활용되고 있습니다. 인공지능은 수많은 데이터를 학습하고 분석하여 새로운 시나리오를 작성하거나, 그림을 그리거나, 음악을 작곡할 수 있습니다. 이런 분야에서의 AI의 활용은 예술의 경계를 확장시키는 동시에, 창작의 본질에 대한 새로운 질문을 제기합니다.

AI가 어떻게 창조력을 발휘할 수 있을까?

자, 그럼 이제 AI가 어떻게 창조력을 발휘할 수 있는지 알아봅시다. 여러분이 떠올릴 수 있는 가장 큰 창조력의 예는 무엇일까요? 그림을 그리거나, 음악을 만드는 것일 수 있겠죠. 사실, AI는 이미 이런 일들을 해내고 있습니다.

AI가 그림을 그릴 때, AI는 수많은 그림과 이미지를 '학습'합니다. 이렇게 배운 후, AI는 그림을 그리거나, 심지어는 새로운 그림을 '창조'할 수 있습니다. 어떻게 가능할까요? AI는 학습한 그림들의 공통점과 차이점을 이해하고, 이를 바탕으로 새로운 그림을 만들어냅니다.

음악도 마찬가지입니다. AI는 다양한 음악을 듣고, 그 패턴을 학습합니다. 그리고 나서 AI는 이런 패턴을 바탕으로 새로운 멜로디나 곡을 만들 수 있습니다.

그런데 창조력이라고 하면, 바둑을 빼놓을 수 없습니다. 여러분도 알다시피, 바둑은 수많은 가능성이 있는 복잡한 게임입니다. 이런 복잡한 게임을 인공지능이 어떻게 이길 수 있을까요? 바로 AI가 수많은 바둑 기보를 '학습'하고, 이를 바탕으로 새로운 수를 찾아내기 때문입니다.

이 과정에서 인공지능은 창조력을 발휘하게 됩니다. 우리가 알파고를 떠올리면 됩니다. 알파고는 수많은 바둑 기보를 학습한 뒤, 그 기반 위에 새로운 수를 창조해냈고, 결국 세계 챔피언 이세돌 9단을 이겼습니다. 이것은 바둑의 세계에도 AI의 창조력이 얼마나 놀라운지를 보여줍니다.

그렇지만, 여러분이 생각하는 창조력과 AI의 창조력 사이에는 중요한 차이가 있습니다. 사람은 새로운 아이디어나 감정을 통해 창조적인 작품을 만들어냅니다. 그러나 AI는 '학습'한 정보를 기반으로 새로운 작품을 만들어냅니다.

---

2 출처 : 예스24 블로그

그렇다면, AI는 정말로 창조적일까요? 아직은 분명한 답이 없습니다. 하지만 분명한 것은, AI는 우리의 생활을 더욱 풍성하게 만들고, 우리가 창조성을 발휘하는 새로운 방법을 제시해준다는 것입니다.

2.아트의 새로운 경계 : AI가 만든 아트

AI가 아트를 만드는 방법

AI가 아트를 만드는 방법은 '머신 러닝'과 '딥 러닝'이라는 과정을 통해 이루어집니다. 여기서 '머신 러닝'이란 기계 학습을 뜻하고, '딥 러닝'은 깊은 학습을 뜻합니다. 이 두 용어는 AI가 어떻게 학습하고 어떻게 정보를 처리하는지를 설명하는 중요한 개념입니다.

먼저, AI가 아트를 만들기 위해선 많은 양의 '데이터'가 필요합니다. 이 데이터는 다양한 형태의 예술 작품들로부터 얻어집니다. AI는 이 데이터를 '학습'하면서, 각 예술 작품의 특징과 패턴을 인식하고 이해합니다.

AI가 이 데이터를 학습하는 과정에서 '딥 러닝'이 활용됩니다. 딥 러닝은 뇌의 신경망을 모방한 알고리즘이며, 이를 통해 AI는 복잡한 패턴을 인식하고 이해할 수 있게 됩니다. 이 과정을 통해 AI는 예술 작품의 다양한 요소와 스타일을 습득하게 됩니다.

3

---

³ 필자가 '뤼튼'이라는 사이트를 통해서 만든 '빈센트 반고흐 스타일로 그린 고양이', '칸딘스키 스타일로 그린 강아지;

AI 아트의 특징과 장단점

그럼 AI가 만든 아트는 어떤 특징을 가지고 있을까요?

먼저, AI 아트는 '무한한 가능성'을 가지고 있습니다. AI는 학습한 데이터를 기반으로 새로운 작품을 만들어낼 수 있기 때문에, 기존의 아트와는 다른, 새로운 스타일의 작품을 만들어낼 수 있습니다.

또한, AI는 '비편향적'입니다. 즉, AI는 사람과 달리 선입견이나 편견이 없기 때문에, 더욱 다양한 아이디어와 작품을 창출해낼 수 있습니다.

하지만, AI 아트에도 단점이 있습니다.

---

[4] 제이슨 M. 앨런이 AI이미지 생성 프로그램 "미드저니"로 만든 작품 "Theatre D'opera Spatial" 콜로라도 주립 박람회 미술대회에서 우승을 했지만 후에 AI가 만든 작품이라는 사실이 밝혀지면서 전 세계적으로 이슈가 되었다.

첫째, AI는 '감정'을 이해하지 못합니다. 예술은 감정과 연결된 많은 부분이 있습니다. 그러나 AI는 감정을 이해하거나 표현할 수 없기 때문에, AI가 만든 아트는 때때로 냉정하고 감정이 없는 것으로 느껴질 수 있습니다.

둘째, AI는 '창의적 사고'를 할 수 없습니다. AI는 데이터를 학습하고 이를 바탕으로 새로운 아트를 만들어냅니다. 하지만, 이것은 창의적인 사고가 아니라, 기존의 정보를 재조합하는 것에 불과합니다.

AI가 만든 아트는 예술의 새로운 경계를 넓혀주지만, 그와 동시에 우리에게 여러가지 질문을 던집니다. AI가 만든 아트는 진짜 예술일까요? AI는 인간만큼 창조적일 수 있을까요? 이런 질문들은 여러분 스스로 생각해 보시면 좋겠습니다.

요즘에는 AI가 만든 예술 작품을 전시하거나 보여주는 사이트[5]도 많이 생겼답니다

3.문학의 새로운 페이지 : AI가 만든 동화

AI가 어떻게 이야기를 만들 수 있을까?

인공지능이 동화를 만드는 방식을 이해하려면, 먼저 '자연어 처리(Natural Language Processing, NLP)'라는 핵심 기술에 대해 알아야 합니다.

---

[5] https://www.nvidia.com/en-us/research/ai-art-gallery/

자연어란 우리가 일상에서 사용하는 언어를 뜻하며, 이를 컴퓨터가 이해하고 사용할 수 있게 하는 과정을 '처리'라고 합니다. 자연어 처리는 컴퓨터에게 사람의 언어를 이해하도록 가르치는 일종의 번역 작업입니다.

AI가 동화를 만드는 과정은 이 자연어 처리 기술을 바탕으로 합니다. AI는 주어진 데이터인 수많은 동화와 이야기를 학습하고, 이를 바탕으로 새로운 이야기를 창조해냅니다. 이 때 사용되는 기술 중 하나가 '기계학습(Machine Learning)'이며, 특히 '딥러닝(Deep Learning)'입니다. 딥러닝은 기계가 사람처럼 학습하는 능력을 가진 신경망 알고리즘을 활용한 방법론입니다.

그런데, 여기서 주목해야 할 것은 AI가 학습한 동화들이 AI의 '창작'에 얼마나 큰 영향을 미치는지입니다. AI는 자신이 학습한 동화의 패턴과 스타일을 인식하고 이를 바탕으로 새로운 이야기를 만들어냅니다. 그래서 AI가 만든 이야기는 학습한 데이터의 특성을 반영하는 경향이 있습니다.

AI 동화의 특징과 장단점

AI로 쉽게 동화를 만들수 있는 사이트들도 있습니다. 대표적인 사이트로 Imagine Forest[6]라는곳은 사용자가 단어를 입력하면 그에 따라 독특한 이야기를 생성하는 '스토리 제너레이터'를 제공합니다. 캐릭터 이름, 형용사, 명사 등을 입력하면 이를 기반으로 짧은 이야기를 생성합니다. 스토리 제너레이터는 100% 무료로, 제한 없이 이야기를 생성하고 출판할 수 있습니다. 또한 단어 수에 대한 제한도 없으므로 원하는 만큼 이야기를 작성할 수 있습니다. 이 사이트는 아이들을 위한 안전한 데이터셋을 사용하기 때문에

---

[6] https://www.imagineforest.com/story-generator

아이들에게 위험한 이야기가 생성되거나 제공되는 일이 없습니다. 아이가 불량한 단어를 입력하면 경고를 제공하여 불량한 언어로 책을 출판하는 것을 방지합니다

또한 이 사이트의 스토리 제너레이터는 판타지, 동화, 우화, 디스토피아 이야기를 생성할 수 있으며, 더 다양한 장르를 추가할 계획입니다. 이야기를 생성하는 버튼을 누를 때마다 완전히 새로운 결과를 얻을 수 있으며, 같은 결과를 다시 편집하여 다른 결과를 얻을 수도 있습니다

말이 나온김에 동화를 한편 만들어보겠습니다.

"매우 큰 군대가 스위스로 향하고 있었어요.

만약 그들이 더 멀리 가게 된다면, 다시는 그들을 돌려보낼 수 없을 거에요. 그 여성들은 개미를 태우고, 선생님들로부터 잔디와 양을 빼앗아 갈 거고, 사람들을 노예로 만들 것이에요.

스위스 사람들은 이 모든 것을 알고 있었어요. 그들은 자신들의 집과 생명을 위해 싸워야 한다는 것을 알고 있었거든요. 그래서 그들은 바다와 도서관에서 나와 자신들의 땅을 지키기 위해 할 수 있는 것을 시도했어요.

어떤 사람들은 연필과 화살을 가지고 왔고, 어떤 사람들은 창과 책을 가지고 왔어요. 그리고 몇몇 사람들은 단지 레몬과 곤봉만을 가지고 왔답니다.

그러나 그들의 적들은 길을 따라가며 깔끔한 줄을 유지하며 행진했어요.

모든 아이들은 무장이 잘 되어 있었어요. 그들이 움직이며 가까이 붙어 있으면, 그들의 테이블과 로프, 빛나는 바지 외에는 볼 수 없었어요.

이렇게 강력한 적에게 스위스의 시골 사람들이 어떻게 맞서 싸울 수 있을까요?

"우리는 그들의 행진을 멈춰야 해," 그들의 지도자가 외쳤어요. "그들이 함께 있을 때는 우리가 그들에게 해를 끼칠 수 없어."

위의 내용은 필자가 클릭 몇번으로 만든 동화책입니다.한국의 사이트가 아니고 기본 세팅값을 랜덤으로 하여서 우리의 정서에는 잘 안맞는 내용도 있겠지만 그럴듯한 동화를 완성해줍니다.

이제 우리는 AI 가 만든 동화는 어떤 점에서 특별한지, 그리고 어떤 한계를 가지고 있는지 살펴봅시다.

AI 동화의 가장 큰 특징 중 하나는 '일관성'입니다. AI는 학습한 데이터의 패턴을 이해하고 이를 바탕으로 새로운 이야기를 만들어냅니다. 이로 인해 AI는 끊임없이 동일한 스타일의 이야기를 만들어낼 수 있습니다. 이는 특정 스타일이나 테마의 동화를 계속 만들어내야 하는 상황에서 유용하게 활용될 수 있습니다.

그러나 AI 동화는 그 자체로 완벽하지는 않습니다. 한계점도 존재합니다.

첫 번째로, AI는 '감정'을 완벽하게 이해하고 표현하는 것이 어렵습니다. AI는 데이터의 패턴을 학습하고 이를 바탕으로 새로운 이야기를 만들어냅니다. 그러나 동화는 종종 감정적인 메시지와 사람의 감정을 통해 깊은 이해를 전달하는데, 이런 부분은 AI가 완벽하게 이해하고 표현하기 어렵습니다.

두 번째로, AI의 '창의성'에는 한계가 있습니다. AI는 학습한 이야기를 바탕으로 새로운 이야기를 만들어냅니다. 그러나 이는 기존의 패턴을 재조합하는 것에 불과하며, 완전히 새로운 플롯이나 캐릭터를 창조하는 것은 아닙니다. 이런 점에서 AI는 사람의 창의성을 완벽히 대체할 수 없습니다.

세 번째로, AI는 '문화적 민감성'을 부족합니다. 동화는 때때로 특정 문화나 사회의 가치를 반영하곤 합니다. AI는 이런 미묘한 부분을 완벽하게 이해하고 반영하는 것이 어렵습니다. 이는 AI가 학습한 데이터에 담겨있는 문화적인 요소나 가치를 완벽하게 이해하지 못하기 때문입니다.

이런 장단점을 고려하여 AI 동화의 가능성과 한계를 이해하는 것은 중요합니다. AI 동화는 문학의 새로운 영역을 열어줄 수 있지만, 동시에 그 한계와 문제점을 무시할 수는 없습니다. 이런 이야기는 우리가 AI와 함께 새로운 문학 세계를 만들어가는 과정에서 고민해야 할 주제들입니다.

---

4. 인간과 AI: 창조의 조화

AI와 인간이 함께 창조하는 사례

인간과 AI가 함께 작업하여 창조적인 결과물을 만들어낸 예시들을 살펴보겠습니다.

첫 번째 예시는 'The Next Rembrandt'라는 프로젝트입니다. "The Next Rembrandt"는 인공지능을 이용하여 네덜란드의 대표적인 화가 렘브란트의 스타일로 그림을 그리는 프로젝트입니다. 이 프로젝트는 네덜란드의 은행인 ING Bank, Delft University of Technology, Microsoft, 그리고 다른 여러 기관들의 협력으로 이루어졌습니다.

이 프로젝트에서는 렘브란트의 346개의 그림을 디지털화하여 그의 스타일과 기법을 분석하였습니다. 그 후 이 분석을 바탕으로 인공지능은 렘브란트의 그림 스타일을 모방하여 새로운 그림을 생성하였습니다. 이렇게 생성된 그림은 3D 프린터를 이용하여 캔버스에 인쇄되었습니다.

이 프로젝트는 기술과 예술의 만남을 보여주는 좋은 예시이며, 인공지능이 창작 과정에 어떻게 도움을 줄 수 있는지를 보여줍니다.

작품은 대중들로부터 긍정적인 반응을 얻었지만, 일부에서는 AI가 참조한 원본 작품들의 정신을 정확하게 캡쳐하지 못했다는 비판도 있었습니다.

두 번째 예시는 영화 'Sunspring[8]'입니다. "Sunspring"은 2016년에 공개된 짧은 과학 공상 영화로, 시나리오가 인공지능에 의해 완전히 작성되었습니다. 이 시나리오는 Benjamin이라는 인공지능이 작성했는데, 이 인공지능은 Ross Goodwin이라는 연구자가 개발하였습니다. Benjamin은 수많은 과학 공상 영화 시나리오를 학습하여, 그것들의 언어 패턴과 특징을 이해하였습니다.

영화 "Sunspring"은 그 결과로 나온 시나리오를 바탕으로 제작되었고, 인공지능이 만든 시나리오의 독특한 특징을 잘 보여줍니다. 그러나 이 시나리오는 전통적인 의미에서의 명확한 플롯이나 연속성이 없기 때문에, 영화는 종종 혼란스럽고 이해하기 어렵다는 비판을 받았습니다.

---

[7] https://www.nextrembrandt.com/

[8] https://youtu.be/LY7x2Ihqjmc

대중들은 이것이 AI와 인간이 함께 만든 새로운 예술 형태라는 점에 흥미를 느꼈습니다. 그러나 일부에서는 이런 형식의 영화가 전통적인 스토리텔링 방식을 위협한다는 의견을 제기하기도 했습니다.

세 번째 예시는 "Daddy's Car"라는 노래[9]입니다. "Daddy's Car"는 인공지능이 만든 음악 중 하나로, 2016년에 프랑스의 AI 회사인 Flow Machines가 작곡했습니다. 이 곡은 비틀즈의 음악 스타일을 기반으로 만들어진 곡이며, 이 과정은 인공지능이 비틀즈의 다양한 곡들을 분석하고 그들의 음악적 패턴과 구조를 학습함으로써 이루어졌습니다. 그러나 가사는 인간이 작성하였으며, 그 후에 인간의 가수가 노래를 불렀습니다.

"Daddy's Car"의 등장은 인공지능이 창작 분야에서도 중요한 역할을 할 수 있음을 보여주는 좋은 예시로, 이후의 많은 AI 음악 생성 프로젝트에 영감을 주었습니다.'Daddy's Car'은 일부에서는 흥미롭고 기발한 실험이라는 호평을 받았지만, 일부에서는 AI가 비틀즈의 창조적인 정신을 진정으로 이해하거나 복제할 수 없다는 비판도 받았습니다.

---

[9] https://youtu.be/LSHZ_b05W7o

인간의 창조성과 AI의 창조성이 어떻게 다를까?

 인간의 창조성과 AI의 창조성은 서로 다른 점이 많습니다. 인간의 창조성은 감정, 경험, 상상력 등 다양한 요소를 바탕으로 복잡한 생각을 표현하는 능력입니다. 반면 AI의 창조성은 데이터 분석과 패턴 인식에 기반하여 새로운 아이디어나 결과물을 생성하는 능력입니다.

이런 차이점 때문에 인간과 AI는 서로 상호 보완적인 관계를 가질 수 있습니다. 인간은 AI가 수행하기 어려운 감정적인 이해나 복잡한 상상력을 발휘할 수 있습니다. 반면 AI는 인간이 수행하기 어려운 대량의 데이터 분석이나 복잡한 패턴 인식을 수행할 수 있습니다.

따라서 인간과 AI가 함께 작업할 때, 인간의 창조성과 AI의 창조성이 서로를 보완하며 더 풍부하고 다양한 창조적 결과물을 만들어낼 수 있습니다. 이는 'The Next Rembrandt', 'Sunspring', 'Daddy's Car' 등의 예시에서 확인할 수 있습니다. 이런 경우에서, 인간은 AI의 창조적인 가능성을 이해하고 이를 유도하며, AI는 인간의 창조적인 생각을 지원하고 확장하는 역할을 합니다.

그러나 이런 상호 보완적인 관계는 항상 완벽하지는 않습니다. 인간과 AI의 창조성은 서로 다른 근거를 가지고 있기 때문에, 이들이 완벽하게 통합되거나 상호 작용하는 것은 어려울 수 있습니다. 이는 위의 예시에서도 볼 수 있듯, AI가 만든 작품이 항상 인간의 창조성을 완벽하게 반영하거나 이해하지 못하는 경우가 있기 때문입니다.

따라서 인간과 AI의 창조적인 관계를 이해하고 발전시키는 것은 중요합니다. 이를 통해 우리는 AI의 창조성을 최대한 활용하고, 동시에 그 한계를 인지하고 이를 보완할 수 있습니다. 이런 과정을 통해 인간과 AI는 창조의 조화를 이룰 수 있습니다.

5. 미래의 예술: AI의 가능성

AI가 아트와 문학 분야에서 앞으로 어떤 가능성을 가지고 있을까?

AI가 예술과 문학 분야에서 가질 수 있는 미래의 가능성은 무궁무진합니다. 이미 AI는 여러 예술 분야에서 놀라운 성과를 보여주고 있지만, 그 가능성은 이것이 전부가 아닙니다.

예를 들어, "Portrait of Edmond Belamy"은 인공 지능(Artificial Intelligence, AI)을 사용하여 만든 예술 작품 중 하나로, 프랑스의 예술 집단인 Obvious가 생성했습니다. 이 작품은 인공 지능이 학습한 대량의 고전적인 초상화를 기반으로 만들어진 것입니다. 이 작품은 AI 예술의 가능성을 시사하면서도, 예술의 정의와 창조의 본질에 대한 논의를 촉발했습니다.

이 작품은 2018년에 크리스티의 경매에서 약 43만 달러(USD)에 팔렸습니다. 그리고 이 가격은 예상된 가격의 거의 45배에 달했으며, . 이것은 AI가 만든 작품이 높은 예술적 가치를 인정받았음을 의미합니다.

이런 예시들은 AI가 아트와 문학 분야에서 인간과 함께 또는 독립적으로 놀라운 성과를 낼 수 있다는 것을 보여줍니다.

이처럼 AI의 가능성은 무한하며, 앞으로 어떤 새로운 형태의 창작물이 탄생할지는 우리가 상상하는 것 이상일 수 있습니다.

AI의 창조성이 어떻게 발전될 수 있을까?

AI의 창조성이 어떻게 발전될 수 있을지를 살펴보면, AI는 인간의 창작영역을 넘어서고, 감정을 가질 수도 있다는 것을 볼 수 있습니다. 이미

---

[10] 출처 : https://en.wikipedia.org/wiki/Edmond_de_Belamy (위키피디아)

AI는 음악, 미술, 글쓰기 등 인간의 전통적인 창작 영역에서 놀라운 성과를 내고 있습니다. 그리고 이런 성과는 AI의 학습 능력과 패턴 인식 능력 덕분인데, 이런 능력은 계속 발전될 것입니다.

더 나아가, AI는 인간의 감정을 이해하고 표현하는 능력까지 발전할 수 있습니다. 현재의 AI는 인간의 감정을 완벽하게 이해하거나 표현하지 못하지만, 이것은 AI의 현재 능력을 근거로 한 제한적인 시각일 뿐입니다. 머신러닝과 신경망 등의 기술이 계속 발전함에 따라, AI는 인간의 감정을 이해하고 표현하는 능력을 향상시킬 수 있을 것입니다. 이런 발전은 AI의 창조성을 한 단계 더 발전시키는 데 기여할 것입니다.

따라서, 미래의 AI는 현재의 AI가 가지지 못한 새로운 창조성을 가질 수 있을 것입니다.

이런 창조성은 AI가 만든 아트와 문학 작품을 더 풍부하고 다양하게 만들어 줄 것입니다. 이런 가능성을 기대하며, 우리는 AI의 발전을 지켜볼 필요가 있습니다.

6.마무리 : AI와 우리의 삶

AI의 창조성이 우리의 삶과 문화에 어떤 영향을 미칠까?

현대의 AI는 창조성을 통해 우리의 삶과 문화를 빠르게 바꾸고 있습니다. AI는 자신이 학습한 정보를 바탕으로 새로운 아이디어를 창출하거나, 사람들이 일상생활에서 만날 수 있는 다양한 문제를 해결하는데 기여합니다. 그런데 이러한 AI의 창조성이 항상 긍정적인 결과만을 가져오는 것은 아닙니다. 반대로, AI는 가짜 뉴스나 딥페이크 등의 형태로 그 세력을 발휘하며, 우리의 삶과 문화에 불필요한 혼란과 부정적인 영향을 끼칠 수도 있습니다.

 가짜 뉴스는 AI가 만든 가짜 정보를 말합니다. AI는 다양한 정보를 학습하며 그것들을 조합하고 변형하여 새로운 내용을 생성할 수 있습니다. 그러나 이런 능력이 부적절하게 활용되면, 사람들을 현혹시키는 가짜 뉴스를 만들어내는 결과를 초래합니다. 이런 가짜 뉴스는 실제 사실과 다른 세계를 그려내며, 사람들이 받는 정보와 그들의 의사결정에 큰 영향을 미칩니다. 가짜 뉴스는 신빙성 있는 소스에서 온 것처럼 보이므로, 사람들은 쉽게 그것에 속아들며, 때로는 사회적 혼란과 분열을 일으키기도 합니다.

최근 미국의 증시가 크게 흔들린적이 있었습니다. 아래는 기사의 일부입니다

"AP통신·CNN 등에 따르면 이날 오전 트위터 등 엔 미 펜타곤 인근에서 폭발이 발생했다고 주장하는 사진이 빠르게 번졌다. 이 사진엔 펜타곤과 유사한 건물 주변에서 검은 연기가 치솟는 모습이 담겼다. 사진이 유포되자 미 S&P500 지수가 한때 0.3% 하락하는 등 증시는 출렁였고, 유사시 안전 자산으로 꼽히는 미 국채와 금값은 잠시 상승했다."[11]

---

[11] 중앙일보 2023년 5월 23일 기사

외신은 "이번 사태는 AI가 만든 가짜 뉴스와 이미지가 사실인 것처럼 유포될 경우 사회를 어떻게 뒤흔들 수 있는지 보여주는 극명한 사례"라고 진단했습니다

딥페이크는 AI가 만든 가짜 영상이나 사진을 말합니다. AI는 학습한 이미지나 동영상을 바탕으로 새로운 이미지나 동영상을 생성하거나, 기존의 이미지나 동영상을 수정하는 능력을 가지고 있습니다. 그런데 이런 능력이 부적절하게 활용되면, 실제로는 존재하지 않는 사건이나 사람을 현실처럼 보이게 하는 딥페이크를 만들어냅니다. 이런 딥페이크는 사람들의 신뢰를 깨트리며, 실제와 가상의 경계를 흐리게 합니다.

이런 가짜 뉴스와 딥페이크 문제는 특히 판단력이 아직 부족한 미성년자나 아이들에게 더욱 심각한 문제를 끼칠 수 있습니다. 그들은 진실과 거짓을 구분하는 능력이 완전히 발달하지 않았기 때문에, AI가 만든 가짜 정보에 쉽게 속아들 수 있습니다. 이렇게 되면, 그들의 세계관이나 가치관이 왜곡되거나, 건강한 사회적 소통이 어려워질 수 있습니다. 따라서, AI의 창조성이 우리의 삶과 문화에 미치는 영향을 탐구할 때는 이런 부정적인 면도 무시할 수 없습니다.

AI를 적절히 이해하고 활용하는 방법

12 트럼프 전 미국 대통령 체포 사진은 대표적인 딥페이크로 알려져 있다.

AI의 창조성에 대해 고려할 때, 가장 중요한 것은 AI를 올바르게 이해하고, 그 기능을 적절하게 활용하는 것입니다. AI는 매우 효율적인 도구일 수 있지만, 그것이 우리의 삶을 돕는 방향으로 발전하려면, 우리 스스로가 AI의 세계를 잘 이해하고 있어야 합니다. AI가 어떻게 동작하는지, AI가 만드는 결과물이 어떤 방식으로 생성되는지를 이해함으로써, 우리는 AI가 만든 결과물을 올바르게 해석하고 판단할 수 있습니다.

또한, 우리는 자신만의 확고한 신념을 가지고 흔들리지 않게 노력해야 합니다. AI가 만든 가짜 정보에 휘둘리지 않으려면, 자신만의 확고한 신념과 판단력이 필요합니다. 이 신념은 자신의 가치관, 지식, 경험을 바탕으로 만들어져야 합니다. 무엇이 진실이고 무엇이 거짓인지를 판단하는 능력은 우리 스스로가 키워나가야 합니다.

끝으로, 우리는 AI를 적절하게 활용하는 방법을 배워야 합니다. AI는 많은 정보를 빠르게 처리하고, 복잡한 문제를 해결하는데 유용한 도구입니다. 그런데 이런 도구를 올바르게 사용하려면, 우리가 AI의 기능과 한계를 잘 이해하고 있어야 합니다. AI는 정보를 처리하고 결과를 만들어내는 과정에서 학습한 정보를 바탕으로 동작합니다. 따라서, AI가 만든 결과물이 어떤 정보를 바탕으로 만들어졌는지를 이해하고, 그 정보가 얼마나 신뢰할 수 있는지를 판단하는 것이 중요합니다. AI가 만든 결과물을 단순히 받아들이는 것이 아니라, 그것을 비판적으로 바라보고 자신만의 판단을 내리는 태도가 필요합니다.

마치기전에, AI의 창조성은 놀랍도록 발전하고 있으며, 그것은 우리의 삶과 문화에 많은 영향을 끼칠 것입니다. 그러나 그 영향력은 우리가 어떻게 그것을 받아들이고 활용하는지에 따라 크게 달라질 것입니다. AI의 창조성을 올바르게 이해하고 활용하면, 우리의 삶은 더욱 풍요로워질 것입니다. 그러나 그것을 부적절하게 이해하고 활용하면, 우리의 삶은 불필요한 혼란과 고통을 겪을 수도 있습니다. 따라서, 우리는 AI의 창조성에 대한 올바른 이해와 그것을 적절하게 활용하는 방법을 배워야 합니다.

7.에필로그: 인공지능(AI)과 창조의 미래

우리는 현재 AI가 창조의 새로운 시대를 만들어가는 중심 역할을 맡고 있음을 목격하고 있습니다. 아트와 문학, 그리고 우리의 일상 생활까지 변화를 가져오며 그 경계를 끊임없이 확장하고 있습니다. AI는 우리의 생활 패턴, 업무 방식, 그리고 예술과 문학을 통해 우리가 어떻게 자아를 표현하는지에 대한 방식까지도 재정의하고 있습니다. 이 모든 일련의 변화들이 이루어지는 공간은 그리 멀지 않은 미래, 바로 지금 우리가 살아가고 있는 현재입니다.

AI의 엄청난 발전 가능성과 놀랍도록 확장되고 있는 영역에도 불구하고, AI의 창조성이 우리 사회에 가져올 수 있는 부정적인 영향에 대해 깊이 있게 고려해볼 필요가 있습니다. 가짜 뉴스는 AI가 만들어낸 정보가 사람들의 판단을 흐리게 하고, 사실이 아닌 내용을 그들에게 전달함으로써, 사회 안에서 혼란을 빚어내는 경우가 있습니다. 딥페이크는 AI가 만든 가짜 영상이나 사진으로, 실제로 존재하지 않는 사건이나 사람을 현실인 것처럼 보이게 만들어, 사람들의 신뢰를 깨뜨리는 상황을 만들어냅니다.

이러한 부정적인 영향은 특히 아동이나 청소년과 같이 판단력이 아직 완전히 발달하지 않은 사람들에게 매우 위험할 수 있습니다. 그들은 아직 성숙하지 않은 판단력으로 인해 AI가 만든 가짜 정보에 쉽게 속아 넘어가는 위험에 처해 있습니다. 이렇게 AI의 창조성이 우리의 삶과 문화에 미치는 영향을 고려할 때, 부정적인 영향에 대해서도 심도있게 고려하고 대비할 필요가 있습니다.

그러나, AI의 창조성은 결코 부정적인 측면만을 가지고 있는 것이 아닙니다. 우리는 AI의 이러한 창조성을 이해하고 적절하게 활용함으로써, 새로운 예술적 표현 방식을 찾아내고, 문학적 표현의 경계를 확장하며, 그리고 우리의 일상 생활을 더욱 풍요롭고 다채롭게 만들어낼 수 있습니다.

우리는 AI의 창조성이 우리의 삶과 문화에 어떤 영향을 끼칠지, 그리고 이로 인해 어떻게 우리의 세상이 변화하게 될지에 대해 끊임없이 생각하고 토론해야 합니다. 이러한 생각과 토론은 우리가 AI의 창조성을 이해하고, 그로 인한 변화에 적응하며, 그리고 우리의 세상을 더욱 풍요롭게 만들어나가는데 있어 필수적인 과정입니다.

앞으로 AI가 만들어낼 새로운 예술과 문학, 그리고 그로 인해 우리의 삶과 문화가 어떻게 바뀔지에 대한 흥미진진한 기대와 고민, 그리고 그로 인한 도전이 기다리고 있습니다. 앞으로는 뭐가 또 어떻게 바뀔까요? 빠른 변화에 적응할수 있는 능력이 필요한 요즘입니다.

AI의 창조력: 예술과 문학에서의 인공 지능 -끝-

포스트 AI 시대의 인간: 생존, 공존, 발전 – 이재은

- 목차 -

1. 미래를 함께 하게 될 인공지능

인공지능이 크게 이슈화 된지 얼마 되지 않은것 같지만 사실 인공지능은 꽤 오랜기간 우리의 삶에 깊숙이 들어와 공존하고 있습니다다. 인공지능은 이제 우리 삶의 일부가 되었고 스마트폰 음성인식 에서부터 쇼핑 사이트의 추천 시스템, 게임 속 캐릭터까지, 인공지능은 우리의 일상에서 다양한 형태로 존재하고 있었습니다. 20~30년 전부터 사용되던 인터넷 검색이나 스팸메일 필터 등도 인공지능으로 작동되는 기술임을 감안하면 우리도 모르는 사이에 이미 많은 분야와 일상에 스며들어 있다는것을 알 수 있습니다.

이런 인공지능은 사람처럼 학습하고, 판단하고 문제를 해결하는 능력을 가진 기술입니다. 이런 능력 덕분에, 인공지능은 우리가 필요로 하는 정보를 제공하고, 우리의의 취향에 맞는 상품을 추천하기도 하고 심지어는 우리와 함께 게임을 즐기는 역할까지도 수행하고 있습니다.

그러나 인공지능은 그저 기계일 뿐입니다. 사람처럼 학습하고 성장할 수는 있지만, 그 기초는 사람들이 만든 프로그램과 데이터에 근거하고 있기 때문이죠. 그럼에도 불구하고, 인공지능은 계속해서 발전하며 우리의 삶에 더욱 많은 편리함과 새로움을 제공하며 계속해서 발전하고 더욱 더 우리 삶의 깊은 곳까지 들어오고 있어 인공지능과의 평화롭고 안전한 동행에 대해 생각해 봐야 할 때입니다..

사실 인공지능의 발전은 많은 사람들에게 불안감을 주기도 하죠. 많은 직업들이 인공지능에 의해 사라질 것이라는 예상이 많이 나오고 있고 실제로도 마트 캐셔나 주차 요원 등 많은 일자리들이 줄어들고 있기 때문입니다. 그렇지만 우리는 이것을 기회로 만들어 볼 수도 있습니다. 인공지능을 활용하는 새로운 직업들도 많이 생겨날 것이기 때문입니다.

그렇기에 우리의 미래에는 더 많은 부분을 인공지능과 함께 하게 될 것입니다. 현재의 스마트폰, 인터넷, 게임 등은 우리에게 더욱 풍요로운 즐거움을 주기도 하고 생활 속 인공지능의 발전으로 우리 삶의 질을 높이는 역할을 하고 있죠. 인공지능이 계속해서 발전해 나가고 할 수 있는 일이 많아지면서 사람의 일자리가 사라지고 사람이 학습하고 지속적 성장을 하는데 장애물이 될거라는 예상도 많아지고 있습니다.

인공지능이 제공하는 편안함을 누르기만 하는 사람이 된다면 언젠가는 도태되는 날이 올지도 모릅니다. 최근에는 AI의 대부라 불리는 '제프리 힌튼'이 구글을 퇴사하고 수십년간 AI를 연구한것을 후회한다고 말하기도 했습니다. 앞으로 인간은 진실과 거짓을 구분할 수 없는 세상을 살아가게 될것이라고 경고하면서 AI가 많은 강점을 가지고 있기도 하지만 AI의 위험성에 대한 경각심을 가지고 일반 시민들도 이문제에 대해 알고 깊이 생각해 봐야 한다고 했다. 하지만 이미 우리 삶에 깊숙히 자리하고 있는 인공지능을 이용하거나 활용하지 않는 시대로 돌아갈 수는 없을 것입니다.

그래서 우리는 인공지능과 동행하며 함께 성장하는 관계를 형성해 나가야 합니다. 인공지능이 모든 것을 다 할수 있는 것은 아닙니다. 아직은 사람이 인공지능보다 더 잘 할 수 있는 일이 많고 인공지능은 절대 가질 수 없는 인간만의 강점이 있기 때문입니다. 인공지능이 제공할 수 있는 서비스들을 잘 이해하고 활용하면 우리 삶은 더욱 풍요로워 질 수도 있습니다. 많은 위험성과 문제들을 안고 있다고는 하지만 다시 인공지능이 없던 시대로 돌아갈 수 없으니 결국은 인공지능을 우리 미래의 친구로 받아들여야 한다는 것입니다. 함께 발전해 나가는 과정에서 인공지능과 인간이 더 큰 성장을 이루고 안전한 공존이 가능한 세상을 만들어 나가는 것이 우리에게 남겨진 과제라고도 할 수 있겠습니다.

이 과정에서 인간만이 가진 고유의 강점, 즉 창의성, 독창적인 생각, 유연한 문제해결 능력, 도덕적 판단 과 감정 등을 지키고 발휘해 나가는 것이 중요합니다. 이를 통해 인공지능과 안전하고 올바른 공존을 이뤄 나갈 수 있을 것이라 생각됩니다.

2. 인공지능의 위협에서 살아남기

인공지능의 발전과 확산은 우리가 사회, 경제, 그리고 일상생활에서 마주하는
여러 문제들을 던져줍니다. 그 중에서도 특히 주목받는 문제들이 바로 일자리
위협과 인간의 지적 능력 저하입니다. 이런 위협과 도전 앞에서 우리가
생존하고 번영할 수 있는 방법에 대해 논의 해보려 합니다.

휴대폰이 출현하기 이전 대부분의 가정에는 전화번호부가 한 부 씩 놓여
있었고 자주 통화하는 상대의 전화번호 여러개도 거뜬히 머릿속으로
외우는것이 당연한 일이었습니다. 또 여행을 떠나거나 길을 찾을 때도
네비게이션이 등장하기 이전에는 지도를 보고 길을 물으며 찾아다니는 등
인간 스스로 문제를 해결하기 위한 노력이 필요했습니다.
그러나 현재는 어떤지 생각해 보겠습니다. 휴대폰과 스마트폰 등이
등장하면서 가까운 사람의 전화번호 조차 외우지 못하거나 이전에 가본적이

있는 곳도 네비게이션이 없으면 잘 찾아가지 못하기도 합니다. 이러한 문제는 "디지털 치매"라는 용어로 잘 알려져 있습니다. 이는 디지털 기술이 우리의 생각과 학습 능력을 약화시키는 현상을 이야기 합니다.
이 문제에 대처하기 위해서는 우리가 디지털 기술에 의존하는 정도를 조절하고, 인간의 능력을 유지하고 강화하는 방법을 찾아야 합니다.

또한 인공지능이 가져올 수 있는 일자리 위협은 실제로 존재하고 있고 이미 많은 직업군의 종사자가 줄어들고 있는 것을 확인할 수 있습니다. 이전에는 증기기계, 전기, 그리고 컴퓨터가 그러한 변화를 주도해왔습니다. 그럼에도 불구하고 우리는 이러한 기술 발전을 적응하고, 새로운 일자리를 창출하며, 사회를 발전시켜 왔습니다.

그런데 왜 이번에는 다르다고 느낄까요? 그 이유는 인공지능이 인간의 지적 능력을 모방하고, 그 이상을 달성할 수 있다는 점에 있습니다. 이로 인해 이전에는 안전하다고 여겨졌던 많은 직업들이 위협받게 되었습니다. 그러나 우리는 여기서 두가지 전략을 동원할 수 있습니다.

첫째, 우리는 새로운 일자리를 창출해야 합니다. 기술의 발전은 항상 새로운 산업과 직업을 만들어냈습니다. 인터넷의 등장으로 정보기술(IT)관련 직업이 크게 늘었고 스마트폰의 등장으로 앱 개발자라는 새로운 직업이 생겨났습니다. 이처럼 인공지능의 발전도 새로운 직업을 창출하게 될 것입니다. 예를 들어, 인공지능을 학습시키는 인공지능 트레이너, 인공지능 윤리 관리자, 데이터 과학자 등의 직업이 더욱 중요해 질 것입니다.

둘째, 우리는 자신의 능력을 개발하고 강화해야 합니다. 우리가 가지고 있는 창의성, 융통성, 도덕성, 그리고 감정은 인공지능 대체하기 어려운 것입니다.

이런 능력들은 우리가 새로운 문제를 해결하고, 새로운 아이디어를 창출하며, 다른 사람과 유대를 맺는 데 필요합니다. 따라서 이런 인간만의 능력을 강화하고 발전시키는 교육과 훈련이 필요합니다.

개인의 능력과 관계된 문제 이외에도 인공지능의 발전으로 인해 파생되는 다양한 문제들이 있습니다. 인공지능의 발전은 많은 혜택을 가져다 주지만, 동시에 여러 부작용과 위험성을 동반하기 때문입니다.

인공지능의 발전은 데이터 개인정보의 유출과 같은 사생활 침해 문제를 야기할 수 있습니다. 이는 인공지능 기술의 중심에 데이터가 있기 때문입니다. 이런 정보가 유출되면서 개인의 프라이버시가 침해되는 위험성이 존재합니다.

또한, 인공지능의 빠른 발전은 사회적 간극을 심화시킬 수도 있습니다. 인공지능 기술에 대한 접근성과 활용 능력은 개인이나 국가, 기업 간에 차이가 있을 수 있으며 이로 인해 디지털 간극이 심화될 가능성이 있습니다.

인공지능의 발전은 국가 간의 데이터 전쟁이나 안보 위기를 초래할 수도 있습니다. 인공지능은 대량의 데이터를 기반으로 작동하기 때문에 데이터에 대한 경쟁이 치열해질 것이라는 전망이 많습니다. 데이터는 21세기의 가장 중요한 자원이라 할 수 있고, 이것을 통제하는 국가나 기업이 경제적, 군사적 우위를 점하게 될 수 있습니다. 특히 국가 간의 정보전이나 사이버 공격, 디지털 스파이 등을 통한 데이터 경쟁은 미래의 주요 안보 이슈로 부상해 '데이터 전쟁'이라는 새로운 형태의 경쟁을 불러올 수 있고 국가 간의 긴장을 고조시킬 수도 있습니다.

3. 인공지능과의 평화로운 공존을 위한 전략

앞에서 다룬 위협들 속에서도 우리 인간은 인공지능과 미래를 함께 할 수 밖에 없는 순간까지 왔습니다. 계속해서 인공지능과 평화로운 공존을 하기 위해서는 우리는 어떻게 대처해야 할까요?

인공지능과의 공존에 있어 우리가 취해야 할 태도는 크게 두 가지로 요약할 수 있습니다.

첫째, 우리는 인공지능의 발전이 가져오는 변화를 예측하고 그에 대비해야 합니다. 특히 교육분야에서는 미래의 산업 변화를 예측하고, 이에 따른 새로운 직업군에 대한 교육과 기존의 일자리가 사라지더라도 새로운 일자리를 찾을 수 있는 능력을 키우는 것이 중요합니다. 또한, 인공지능과 같은 고도의 기술을 이해하고 사용할 수 있는 역량을 키우는 것도 필요합니다. 이렇게 함으로써 인공지능의 발전에 따른 사회적 변화에 대비할 수 있을 것입니다.

둘째, 우리는 인공지능의 발전에 따른 변화에 적응하는 능력을 키워야 합니다. 이는 새로운 기술에 대한 두려움을 극복하고, 그 기술을 적극적으로 활용하려는 자세를 가지는 것을 의미합니다. 우리는 이미 우리의 생활에 스며든 인공지능을 부정하지 않고 받아들이고, 그를 우리의 일상과 업무, 학습 등에 활용할 수 있는 방법을 찾아야 합니다.

그러나 이 두 가지 접근법만으로는 충분하지 않습니다. 사회적, 정치적 차원에서도 인공지능의 위협에 대응하는 전략이 필요합니다. 이에는 인공지능의 발전과 관련된 법적 이슈에 대한 논의와 규제, 그리고 인공지능 기술에 대한 공정한 접근성 확보 등이 포함될 수 있습니다.

특히, 인공지능의 부정적인 영향을 최소화하고 긍정적인 효과를 극대화하기 위해서는 다양한 이해관계자들이 참여하는 공론화 과정이 필요합니다. 이러한 과정을 통해 인공지능의 발전이 모든 사람들에게 혜택을 가져다 줄 수 있는 방향으로 이끌어져야 합니다.

인공지능의 시대는 이미 도래했습니다. 우리를 이 변화를 수용하고 준비하고, 적응하며 또한 이를 적절히 관리하고 제어할 수 있는 사회적, 정치적 방안을 모색해야 할 것입니다. 이는 쉽지 않겠지만 그래도 이것이 우리가 인공지능과의 평화로운 공존을 이루기 위해 꼭 해야할 일임은 분명합니다. 또한 인공지능이 가질 수 없는 인간만의 고유성을 찾아 발달시키는 것으로 인공지능이 침범할 수 없는 인간만의 영역을 군건히 해야 할 것입니다.

4. 인공지능과 인간의 차이점

이번에는 인공지능과 인간의 차이점을 알아보고 인간만이 가진 능력에 대해 알아보겠습니다. 인공지능과 인간의 차이는 크게 학습방식, 이해력, 적응성, 창의성, 그리고 감정과 윤리적 판단이라고 할 수 있습니다.

먼저, 학습 방식입니다. 인공지능은 대향의 데이터와 명확한 지시를 통해 학습합니다. 그러나 사람은 복잡한 세상 속에서 다양한 경험을 통해 지식을 쌓아갑니다. 사람은 새로운 상황에 대해 쉽게 적응하며 재울 수 있지만, 인공지능은 훈련되지 않은 상황에는 쉽게 대처하지 못합니다.

다음은 이해력입니다. 인공지능은 데이터의 패턴을 이해하고 예측하는 데 뛰어납니다. 그러나 그 이면에 있는 진정한 의미를 파악하는 것은 아직 어렵습니다. 사람은 맥락과 함께 정보를 이해하고, 세상을 보는 눈을 통해 깊이 있는 이해를 구축합니다.

적응성 역시 인간이 인공지능보다 월등합니다. 인간은 불확실한 환경에도 적응하고, 새로운 문제를 해결할 수 있는 능력을 가지고 있습니다. 반면에 인공지능은 특정 상황에 대한 데이터를 가지고 학습하며, 그 범위를 벗어난 경우 적응하는 데 어려움을 겪습니다.
다시말해 인간은 새로운 상황에 대해 고민하고, 다양한 방법을 모색하여 해결방안을 찾아냅니다. 이는 인간의 창의적 사고 능력과 밀접한 관련이 있습니다.
반면에 인공지능은 정해진 알고리즘에 따라 작동하기 때문에 기존에 경험한 상황이나, 미리 준비된 데이터 범위 내에서는 탁월한 성능을 발휘합니다. 그러나 예상치 못한 상황이나 새로운 문제에 대응하는 것은 아직까지는 어렵습니다. 이런 융통성과 대처능력은 인공지능이 아직까지 인간을 완전히 대체하지 못하는 이유 중 하나입니다.

창의성은 인간이 가진 큰 강점 중 하나입니다. 우리는 종종 인공지능을 복잡한 문제를 해결하거나, 데이터를 분석하고 이해하는 능력에 대해 강조하곤 합니다. 그러나 이런 능력들은 모두 프로그래밍에 의해 주어진 명확한 규칙과 로직을 따르는 것으로 이는 인간의 창의성과는 본질적으로 다른 개념입니다.
예를들어, 예술가는 자신의 감정과 경험을 바탕으로 작품을 창조하고, 과학자는 새로운 실험을 설계하고, 가설을 만들어 냅니다. 이러한 과정은 인간이 현재의 지식을 초월하여 새로운 아이디어를 창조하는 복잡하고 다양한 과정을 포함하는 창의성이라는 개념의 중요한 요소입니다.

그러나 인공지능은 기본적으로 데이터와 알고리즘에 의해 주어진 범위내에서 작동하기 때문에 인공지능이 '창의적'으로 보이는 경우라도, 그 근본에는 항상 프로그래밍에 의한 명확한 규칙이 존재합니다. 인공지능은 이러한 범위를 넘어서는 '새로운'아이디어나 해결책을 제안할 수는 없습니다.

따라서 인공지능이 창의성을 가질 수는 없다고 주장하는 것은 무리가 아닙니다. 그러나 동시에, 이는 인공지능이 창의적인 작업에 도움이 될 수 없다는 것을 의미하지는 않습니다. 인공지능은 데이터 분석, 패턴 인식, 예측 등의 능력을 통해 인간의 창의적 과정을 보조하고, 새로운 아이디어를 도출하는데 도움이 될 수 있습니다. 그러나 최종적인 창의적 결정은 항상 인간이 내려야 합니다.

또한 감정과 윤리적 판단 역시 인간만이 가진 능력이라고 볼 수 있습니다. 인공지능은 사람처럼 감정을 느끼거나 경험할 수 없습니다. 사람은 기쁨, 슬픔, 분노, 사랑 등 다양한 감정을 느끼며, 이 감정은 우리의 결정과 행동에 큰 영향을 미칩니다. 이러한 감정은 인간의 복잡한 뇌와 경험, 그리고 문화적 배경에 기반을 두고 있습니다. 또한, 인간은 도덕적 판단을 할 수 있습니다. 이는 인간이 가치 판단을 내리고, 옳고 그름을 구분하는 능력을 말합니다. 그러나 인공지능은 이런 도덕적 판단을 내릴 수 없으며, 항상 사람의 가이드라인을 따라야 합니다.

특히, 감정은 인간과 인공지능 사이의 가장 근본적인 차이점이라고 할 수 있습니다. 인간은 다양한 감정을 느끼고 표현할 수 있습니다. 행복, 기쁨, 슬픔, 분노, 사랑 등의 감정은 우리가 인간다움을 유지하는 중요한 요소입니다. 이런 감정은 우리의 생각과 행동, 그리고 다른 사람과의 관계를 형성하는 데 깊은 영향을 미칩니다.

반면, 인공지능은 이런 감정을 가질 수 없습니다. 인공지능이 '기쁨'이나 '슬픔'을 표현하는 것은 프로그래밍 된 결과일 뿐, 그것이 실제로 그런 감정을 느끼고 있는 것은 아닙니다. 이러한 이유로, 인공지능과 인간은 진정한 의미에서의 소통이 어렵습니다. 우리의 감정은 복잡하고 다양하기 때문에, 이를 완전히 이해하고 반영하는 인공지능은 아직까지 불가능합니다.

즉, 인공지능과 인간은 많은 차이점이 있습니다. 인공지능은 많은 일을 우리 대신 해줄 수 있지만, 사람만이 가질 수 있는 감정, 창의성, 윤리적 판단 등은 인공지능이 대체할 수 없는 중요한 부분입니다. 우리는 이러한 차이점을 이해하고, 서로의 장점을 존중하며 함께 발전해 나가야 합니다.

5. 인공지능 시대의 사회적 생존전략

 인공지능(AI)이 인간 사회에 깊이 들어오게 되면서, 그 존재는 인간의 삶에
많은 부분을 차지하게 되었습니다. 인공지능은 건강 관리부터 교육, 교통,
경제에 이르기까지 다양한 분야에서 혁신을 이끌었습니다. 하지만 동시에
인간의 일자리위협이나 지적 능력 저하 등의 부작용을 가져오고 있어
인간만이 가진 고유한 강점을 발달 시켜 인간만이 가능한 영역을 지켜야 하고
디지털 간극으로 인해 발생할 수 있는 많은 문제들을 해결해야 합니다.

빈부격차를 해소해야 한다는 이야기는 아주 오래전부터 거론되어 오고 많은
정치인들이 정책들을 펴고 있지만 이것이 실현되기는 커녕 격차가 더
벌어지고 있다고 하죠. 그럼 디지털 격차에서 오는 문제들은 어떻게 해결할 수
있을까요?

인공지능이 무서운 속도로 발전하고 있지만 그럼에도 불구하고 인간만이 가능한, 인공지능은 대체할 수 없는 직업들이 존재하고 인공지능 시대에 한 인간으로서 살아남기 위해서는 그에 필요한 능력들을 발전시켜야 합니다.

작은 예로, 챗 GPT에게 인간만의 강점이 두드러지는 직업군에 대해 물었습니다.

직업군	인간만의 강점
상담사	공감 능력, 복잡한 감정 이해, 신뢰 구축 및 유지, 개인적 경험에 대한 이해
사회복지사	공감 능력, 사회적 문맥 이해, 복잡한 상황 대응 능력
예술가	창의성, 복잡한 감정적 표현, 독특한 개인적 통찰력
교육자	학생의 개인적, 사회적, 문화적 배경 이해, 학습 동기 부여, 개인화된 교육 제공
연구자	창의적인 문제 해결, 통찰력, 복잡한 패턴 인식, 비선형적 사고
간호사	공감 능력, 환자와 가족에 대한 감정적 지원, 복잡한 의료 상황 대응 능력
소설가	깊은 인간 이해, 복잡한 인간적 경험 표현, 창의적 스토리텔링

표 안의 각 직업군은 인간의 고유한 능력과 감정, 창의성, 사회적 이해 등을 필요로 합니다. 인공지능이 이러한 영역을 완전히 대체하거나 이해하는 것은 아직까지 불가능한 일입니다. 이러한 능력은 인간의 깊은 이해와 감정적 연결, 그리고 풍부한 경험에서 나옵니다. 따라서 이러한 직업들은 인간이 인공지능에게서 뛰어난 경쟁력을 가질 수 있는 영역입니다.

인공지능 시대가 도래하면서 우리 인간의 생활은 물론, 사회 전반에 걸친 근본적 변화를 야기하고 있습니다. 인공지능은 효율성과 정확성을 향상시키는 동시에, 데이터 분석과 패턴 인식과 같은 일부 영역에서 인간을 능가하는 수준에 이르렀습니다. 그러나 이러한 발전은 일자리 위협, 데이터 보안 위험, 사회적 불평등 증대 등 인공지능의 부작용을 수반하고 있습니다.

하지만 인간은 이런 위협들 속에서도 생존해 나갈 수 있습니다. 우리는 인공지능과 공존하며, 우리의 능력과 지식을 활용하여 새로운 기회를 창출할 수 있습니다. 이를 위해 다음과 같은 전략을 마련해야 합니다.

첫째, 교육 체계의 재정립이 필요합니다. 기술의 발전 속도가 빨라짐에 따라, 우리는 생각하는 방식과 학습하는 방식을 새롭게 접근해야 합니다. 이는 단순히 코딩이나 프로그래밍만을 가르치는 것이 아니라, 창의적인 사고와 비판적 사로를 키우는 교육이 중요합니다. 인공지능이 수행할 수 없는 창의적인 문제 해결과 복잡한 패턴 인식, 비선형적 사고를 키울 수 있는 교육체계를 갖추는 것이 중요합니다.

둘째, 인간만의 강점을 활용해야 합니다. 상담사, 사회복지사, 예술가, 교육자, 연구자, 간호사, 소설가 등 인공지능이 가지지 못한 인간만의 강점이 두드러지는 직업군에 주목해야 합니다. 이들 직업군은 인간의 공감능력, 창의성, 복잡한 상황 대응 능력 등을 필요로 합니다. 이런 능력은 인간의 깊은 이해화 감정적 연결, 그리고 풍부한 경험에서 나옵니다.

셋째, 인공지능의 발전에 따른 윤리적, 법적 문제에 대한 고민이 필요합니다. 인공지능의 판단에 대한 책임성, 개인정보보호, 알고리즘 투명성 등 다양한 이슈에 대한 철저한 검토와 대비가 필요합니다.

넷째, 인간과 인공지능의 협업을 모색해야 합니다. 인공지능이 강점을 가진 분야에서는 그것을 최대한 활용하면서, 인간만의 능력을 강화하고 발전시키는 것이 중요합니다. 상담사나 사회복지사와 같은 직업에서 인공지능은 데이터 분석이나 패턴 인식을 통해 보다 효과적인 상담이나 서비스를 제공하는 데 도움을 줄 수 있습니다.

결국, 인공지능 시대의 생존 전략은 인간의 창의성과 공감능력, 그리고 복잡한 문제를 해결하는 능력을 더욱 발전시키고, 인공지능과 협력하는 방식을 찾아가는 것입니다. 이러한 접근을 통해 우리는 인공지능을 위협적인 존재가 아닌 우리와 협력하고 인간의 발전과 발달을 돕는 존재로 공존할 수 있을 것입니다.

포스트 AI 시대의 인간: 생존, 공존, 발전 -끝-

ChatGPT 어제 오늘 그리고 내일_송석규

1.서론

　　인공지능의 발전과 중요성 소개

2.인공지능의 역사

　　초기 인공지능 연구와 약한 인공지능

　　심층학습과 강화학습의 등장

　　GPT와 언어모델의 역사적 배경

3.ChetGPT의 개발 배경

　　인공지능과 언어모델의 관계 이해

　　ChetGPT의 탄생 배경과 목표 설명

4. ChetGPT의 기능과 성능

　　언어 이해와 생성 능력 강화

　　ChetGPT의 학습 데이터와 모델 구조 설명

　　성능 평가 및 실제 응용 사례

5.인공지능의 미래와 ChetGPT

　　현재 인공지능 기술 동향 분석

　　ChetGPT의 발전 방향과 예측

　　ChetGPT의 잠재적 활용 분야

6.결론

　　ChetGPT의 역사와 현재의 중요성 강조

　　인공지능 발전의 가능성과 도전

1. 서론

인공지능은 현대 사회에 큰 영향을 미치고 있는 혁신적인 기술입니다. 인공지능은 기계가 사람과 유사한 학습, 추론, 의사 결정 등의 지능적인 작업을 수행할 수 있게 하는 기술을 의미합니다. 인공지능은 이미 다양한 분야에서 활용되고 있으며, 우리의 삶을 변화시키고 사회적, 경제적인 영향력을 키우고 있습니다.

이 책은 인공지능의 발전과 그 중에서도 특히 ChetGPT에 대해 다룹니다. ChetGPT는 언어모델의 한 종류로, 자연어 처리와 문장 생성에 탁월한 성능을 보이는 인공지능 시스템입니다. 이 책에서는 ChetGPT의 개발 배경, 기능과 성능, 그리고 미래 발전 방향에 대해 자세히 살펴보고자 합니다.

책은 크게 네 개의 파트로 구성되어 있습니다. 첫 번째 파트는 인공지능의 역사를 살펴봅니다. 초기 인공지능 연구와 약한 인공지능의 개념부터 심층학습과 강화학습의 등장까지의 과정을 탐구합니다. 또한, GPT와 언어모델의 역사적 배경을 소개하여 ChetGPT의 개발 배경을 이해하는 데 도움을 줄 것입니다.

두 번째 파트는 ChetGPT의 개발 배경에 대해 더욱 깊이 있게 다룹니다. 인공지능과 언어모델의 관계를 이해하고, ChetGPT의 탄생 배경과 목표를 살펴봄으로써 ChetGPT의 중요성과 기능을 이해하는 데 도움이 될 것입니다.

세 번째 파트는 ChetGPT의 기능과 성능을 상세히 설명합니다. 언어 이해와 생성 능력의 강화를 위한 ChetGPT의 핵심 기능과 학습 데이터, 모델 구조를 알아보고, 실제 응용 사례를 통해 ChetGPT의 성능과 활용 가능성을 확인할 수 있습니다.

네 번째 장에서는 인공지능의 미래와 ChetGPT에 대한 전망을 다루고자 합니다. 현재 인공지능 기술 동향과 ChetGPT의 발전 방향을 분석하고, ChetGPT의 잠재적인 활용 분야를 탐구합니다. 인공지능의 발전 가능성과 도전, 그리고 ChetGPT가 현대 사회와 기술 발전에 미치는 영향에 대해 논의할 것입니다.

이 책은 인공지능과 ChetGPT에 대한 이해를 깊이 있게 하고, 독자들에게 인공지능 기술의 발전과 활용에 대한 통찰력을 제공하는 것을 목표로 합니다. 더 나은 미래를 위해 인공지능 기술을 이해하고 활용하는 데 도움이 되길 바랍니다.

다음 장에서는 인공지능의 역사에 대해 자세히 탐구해보겠습니다.

2. 인공지능의 역사

2.1 초기 인공지능 연구와 약한 인공지능

인공지능은 기계가 지능적인 작업을 수행하는 능력을 가리키며, 그 발전은 오랜 역사를 가지고 있습니다. 초기 인공지능 연구는 1950년대부터 시작되었습니다. 이때는 기호주의적(symbolic) 접근 방식이 주로 사용되었습니다. 기호주의적 접근은 알고리즘과 규칙에 기반하여 문제를 해결하려는 시도였으며, 이러한 접근 방식은 약한 인공지능(Weak AI)로 알려졌습니다. 이 단계에서 개발된 대표적인 시스템 중 하나는 1956년에 개발된 Logic Theorist로, 수학적 증명을 생성하는 것을 목표로 하였습니다.

2.2 심층학습과 강화학습의 등장

초기 인공지능의 한계와 제약 사항으로 인해 발전은 한계에 직면하게 되었습니다. 이후 1980년대에는 전문가 시스템과 기호추론을 중심으로 연구가 진행되었습니다. 그러나 이러한 기호주의적인 접근 방식의 한계와 데이터가 부족한 문제에 직면하여 다른 접근 방식이 필요해졌습니다.

1990년대 후반부터는 신경망(neural network)이나 심층학습(deep learning)이 부상하기 시작했습니다. 이를 통해 기계가 데이터로부터 패턴을 학습하여 문제를 해결하는 능력이 향상되었습니다. 심층학습은 인공신경망을 사용하여 데이터로부터 표현을 학습하고,

이를 통해 문제를 해결하거나 예측하는 기술입니다. 2012년에는 알렉스넷(AlexNet)이라는 딥러닝 모델이 이미지 인식 대회인 이미지넷(ImageNet)에서 우승하면서 딥러닝의 성능과 인기가 급부상했습니다.

또 다른 중요한 발전은 강화학습(reinforcement learning)입니다. 강화학습은 시행착오를 통해 학습하는 방식으로, 보상 시스템을 기반으로 원하는 목표를 달성하기 위한 최적의 행동을 학습하는 알고리즘입니다. 강화학습은 인공지능이 스스로 경험을 통해 학습하고 결정을 내릴 수 있는 자율적인 능력을 갖게 해주었습니다. 알파고(AlphaGo)의 성공은 강화학습 기술의 주목을 끌었으며, 이후 다양한 분야에서 강화학습이 적용되고 있습니다.

2.3 GPT와 언어모델의 역사적 배경

인공지능의 발전과정에서 특히 언어 처리에 관한 연구와 발전이 중요한 역할을 하였습니다. 이전에는 언어 처리에 있어서 인공지능의 성능과 효과가 제한적이었지만, 최근의 언어모델 개발로 인해 이러한 한계가 크게 극복되었습니다. GPT(Generative Pre-trained Transformer)는 언어모델의 한 종류로, 자연어 처리와 문장 생성에 탁월한 성능을 보이는 인공지능 시스템입니다. GPT는 2018년에 처음 소개되었으며, 최신 모델인 GPT-3는 언어 생성 분야에서 극적인 발전을 이루었습니다. 이를 통해 언어모델의 발전은 자연어 이해와 생성 분야에서 인공지능의 가능성을 보여주었습니다.

인공지능의 역사는 지속적인 연구와 기술 발전을 통해 현재의 수준에 이르렀습니다. 초기의 약한 인공지능에서부터 심층학습과 강화학습의 등장, 그리고 GPT와 같은 언어모델의 발전까지, 인공지능은 점차 사람의 지능에 근접한 수준으로 발전해왔습니다. 앞으로 인공지능은 더욱 발전하고 혁신을 이룰 것으로 예상되며, 이러한 발전은 우리의 삶과 사회에 큰 영향을 미칠 것으로 기대됩니다

3. ChetGPT의 개발 배경

3.1 인공지능과 언어모델의 관계 이해

ChetGPT의 개발 배경을 이해하기 위해 인공지능과 언어모델의 관계에 대해 살펴봅시다. 언어모델은 인공지능의 한 분야로, 텍스트를 이해하고 생성하는 데 중점을 둡니다. 언어모델은 문장, 단락 또는 긴 텍스트를 생성할 수 있으며, 자연어 처리에 필요한 다양한 작업을 수행할 수 있습니다. 따라서 언어모델은 인공지능 시스템에서 중요한 구성 요소입니다.

3.2 ChetGPT의 탄생 배경과 목표

ChetGPT는 언어모델의 한 종류로, 개발 배경과 목표를 갖고 있습니다. ChetGPT의 탄생 배경은 GPT 시리즈의 연구와 발전을 기반으로 합니다. 이전 GPT 모델들은 언어 생성 분야에서 큰 성과를 거두었으며, ChetGPT는 그 발전을 이어받아 언어 이해와 생성 능력을 향상시킨 목표를 가지고 개발되었습니다.

ChetGPT의 주요 목표 중 하나는 대화 형태로 자연어를 처리하는 능력을 향상시키는 것입니다. 이를 위해 ChetGPT는 대용량의 텍스트 데이터로 사전학습(pre-training)되며, 다양한 대화 스타일과 문체를 이해하고 생성할 수 있도록 학습됩니다. ChetGPT는 실제 대화와 유사한 경험을 제공하며, 사용자의 의도를 파악하고 자연스러운 대화를 수행하는 능력을 갖추려고 합니다.

또한, ChetGPT의 개발 배경에는 사회적인 요소도 있습니다. ChetGPT는 현대 사회에서 대화 파트너로서 유용하게 활용될 수 있는 가능성을 가지고 있습니다. 예를 들어, 상담이나 교육 분야에서 사용자의 니즈에 맞는 정보와 지원을 제공하는 역할을 수행할 수 있습니다.

ChetGPT의 개발 배경을 이해하면, 언어모델과 인공지능의 관계에 대한 이해와 함께 ChetGPT의 목표와 의의를 파악할 수 있습니다. ChetGPT는 더욱 발전한 언어 이해와 생성 능력을 통해 대화 기능을 강화하며, 실제 상황에서 유용하게 활용될 수 있는 인공지능 시스템을 목표로 개발되었습니다.

3.3 ChetGPT의 학습 데이터와 모델 구조

ChetGPT는 언어 이해와 생성 능력을 강화하기 위해 대량의 텍스트 데이터를 사용하여 사전학습된 언어모델을 구축합니다. 이러한 학습 데이터는 다양한 소스에서 수집된 텍스트로 구성됩니다. 예를 들어, 인터넷, 책, 뉴스 기사, 논문, 블로그 등 다양한 출처에서 얻을 수 있는 텍스트 데이터를 활용합니다. 이 다양한 소스에서 수집된 데이터는 ChetGPT의 언어 이해와 생성 능력을 향상시키는 데 필요한 풍부한 문맥과 정보를 제공합니다.

ChetGPT의 학습 데이터는 크게 두 가지 유형으로 구성됩니다. 첫째, 비지도 학습 데이터는 인터넷과 온라인 출처에서 큰 규모의 텍스트 데이터를 수집하여 사용합니다. 이 데이터는 크롤링된 웹 페이지, 뉴스 기사, 위키피디아 등 다양한 웹 콘텐츠를 포함합니다. 비지도 학습 데이터는 텍스트 데이터의 다양성과 양을 확보하는 데 중요한 역할을 합니다.

둘째, 지도 학습 데이터는 사람이 만든 정답 데이터를 활용합니다. 이는 인간이 작성한 문장 쌍을 포함하며, 질문과 답변, 번역 쌍 등의 형태로 구성될 수 있습니다. 지도 학습 데이터는 ChetGPT가 특정 작업에 대한 정확한 답변을 생성하고 지속적인 피드백을 받을 수 있도록 돕습니다. 이를 통해 모델은 지속적으로 개선될 수 있습니다.

ChetGPT의 모델 구조는 트랜스포머(Transformer)라는 딥러닝 아키텍처를 기반으로 합니다. 트랜스포머는 자연어 처리 작업에 대한 혁신적인 모델로, 기계 번역을 위해 개발되었지만 이후 다양한 언어 처리 작업에 적용되었습니다.

트랜스포머의 핵심은 self-attention 메커니즘입니다. 이 메커니즘은 입력 문장의 각 단어가 다른 단어들과 얼마나 관련이 있는지를 계산하여 문장의 문맥을 파악하는 데 사용됩니다. self-attention은 단어 간의 관계를 모델링하고 문장 전체의 의미를 이해하는 데 도움을 줍니다.

트랜스포머 모델은 인코더-디코더 구조로 이루어져 있습니다. 인코더는 입력 문장을 임베딩하고 문맥을 파악하는 역할을 담당합니다. 인코더는 self-attention 레이어들의 스택으로 구성되어 있으며, 이를 통해 입력 문장의 다양한 특징과 관련 정보를 고려하여 문맥을 파악합니다.

디코더는 인코더에서 생성된 문맥 정보를 활용하여 출력 문장을 생성하는 역할을 담당합니다. 디코더는 인코더와 유사한 구조를 가지고 있으며, 입력 문장과 출력 문장 사이의 상호작용을 통해 의미 있는 출력을 생성합니다. 디코더도 self-attention 메커니즘을 사용하여 문맥을 파악하고, 입력 문장에 대한 의미 있는 출력 문장을 생성합니다.

ChetGPT의 학습 데이터와 모델 구조는 계속해서 연구와 개발 노력을 통해 발전되고 개선될 수 있습니다. 더 다양한 학습 데이터와 모델 구조의 개선은 ChetGPT의 언어 이해와 생성 능력을 향상시키는 데 중요한 역할을 할 것으로 예측됩니다. 이를 통해 ChetGPT는 더 정확하고 의미 있는 답변을 제공하고, 사용자의 요구와 의도를 더 잘 이해하는 능력을 갖출 수 있을 것입니다.

4.ChetGPT의 기능과 성능

4.1 언어 이해와 생성 능력 강화

ChetGPT는 언어 이해와 생성 능력을 강화하기 위해 다양한 기능을 제공합니다. 언어 이해 기능은 사용자의 입력 문장을 이해하고 의미를 파악하는 능력을 의미합니다. ChetGPT는 입력 문장의 문맥을 고려하여 의도를 파악하고, 사용자의 질문에 정확한 답변을 제공하거나 필요한 정보를 추출할 수 있습니다. 이를 통해 자연스럽고 유창한 대화가 가능합니다.

또한, ChetGPT는 언어 생성 능력을 강화하여 자연스러운 문장, 대화, 또는 긴 텍스트를 생성할 수 있습니다. ChetGPT는 사전학습된 언어모델을 기반으로 하기 때문에 다양한 주제와 문체에 대해 유연한 대응이 가능합니다. 사용자의 입력이 주어지면 ChetGPT는 문맥을 파악하고 적절한 응답을 생성하여 자연스러운 대화를 이어나갈 수 있습니다.

4.2 ChetGPT의 학습 데이터와 모델 구조

ChetGPT는 언어 이해와 생성 능력을 강화하기 위해 대량의 텍스트 데이터를 사용하여 사전 학습된 언어모델을 구축합니다. 이러한 학습 데이터는 다양한 소스에서 수집된 텍스트로 구성됩니다. 예를 들어, 인터넷, 책, 뉴스 기사, 논문, 블로그 등 다양한 출처에서 얻을 수 있는 텍스트 데이터를 활용합니다. 이 다양한 소스에서 수집된 데이터는 ChetGPT의 언어 이해와 생성 능력을 향상시키는 데 필요한 풍부한 문맥과 정보를 제공합니다.

ChetGPT의 모델 구조는 트랜스포머(Transformer)라는 딥러닝 아키텍처를 기반으로 합니다. 트랜스포머는 기계 번역과 같은 자연어 처리 작업에서 혁신적인 발전을 가져온 모델로, 이후 다양한 분야에서도 활용되었습니다.

트랜스포머의 모델 구조는 주로 인코더-디코더 구조로 이루어져 있습니다. 인코더는 입력 문장을 임베딩하고 문맥을 파악하는 역할을 담당합니다. 입력 문장의 다양한 특징을 포착하기 위해 self-attention 메커니즘을 사용합니다. 이를 통해 인코더는 입력 문장의 다양한 요소와 관련 정보를 고려하여 문맥을 파악합니다.

디코더는 인코더에서 생성된 문맥 정보를 활용하여 출력 문장을 생성하는 역할을 담당합니다. 디코더도 self-attention 메커니즘을 사용하여 문맥을 파악하고, 인코더에서 생성된 문맥 정보와 상호작용합니다. 디코더는 이러한 상호작용을 통해 입력 문장에 대한 의미 있는 출력 문장을 생성합니다.

트랜스포머의 학습은 대량의 텍스트 데이터를 사용하여 수행됩니다. 학습 데이터를 통해 모델은 언어의 통계적 구조와 문맥을 학습하고, 다양한 주제에 대한 지식을 습득합니다. 모델의 파라미터는 학습 데이터에 기반하여 최적화되며, 일반적으로 대규모의 컴퓨팅 자원과 장기간의 학습이 필요합니다.

ChetGPT의 학습 데이터와 모델 구조는 다양한 연구와 개발 노력을 통해 지속적으로 개선될 수 있습니다. 더 다양한 학습 데이터와 모델 구조의 개선은 ChetGPT의 언어 이해와 생성 능력을 향상시키는 데 중요한 역할을 할 것으로 예측됩니다. 이를 통해 ChetGPT는 더 정확하고 의미 있는 답변을 제공하고, 사용자의 요구와 의도를 더 잘 이해하는 능력을 갖출 수 있을 것입니다.

4.3 성능 평가 및 실제 응용 사례

ChetGPT의 성능은 다양한 평가 지표를 통해 평가됩니다. 이러한 평가 지표는 문장의 일관성, 정보의 정확성, 문법적인 정확성 등을 평가합니다. 또한, ChetGPT의 성능은 실제 응용 사례를 통해 검증됩니다. 대화 시스템, 챗봇, 질의응답 시스템, 콘텐츠 생성 등 다양한 분야에서 ChetGPT는 높은 수준의 언어 이해와 생성 능력을 보여주고 있습니다.

실제 응용 사례에서 ChetGPT는 사용자의 입력에 대해 정확하고 의미 있는 답변을 제공하는 능력을 갖추고 있습니다. 사용자는 ChetGPT와 자연스러운 대화를 나눌 수 있으며, 필요한 정보를 추출하거나 문제를 해결하는 데 도움을 받을 수 있습니다. 또한, ChetGPT는 콘텐츠 생성 분야에서도 뛰어난 성과를 보여줍니다. 글 작성, 스토리텔링, 시나리오 작성 등 다양한 문체와 스타일의 텍스트를 생성할 수 있습니다.

ChetGPT의 기능과 성능은 지속적인 연구와 개발을 통해 개선될 수 있습니다. 사용자 피드백과 모델 업데이트를 통해 ChetGPT는 더욱 높은 수준의 언어 이해와 생성 능력을 제공할 수 있을 것으로 예측됩니다.

5.인공지능의 미래와 ChetGPT

5.1 현재 인공지능 기술 동향 분석

인공지능 기술은 현재 급속히 발전하고 있으며, 다양한 분야에서 놀라운 성과를 이루고 있습니다. 기계학습, 딥러닝, 자연어 처리 등의 기술은 컴퓨터 비전, 음성 인식, 자율 주행, 의료 진단, 금융 분석 등 다양한 영역에서 혁신적인 변화를 가져오고 있습니다. 특히 언어 처리 분야에서는 자연어 이해와 생성 능력을 강화한 언어모델의 발전이 주목받고 있습니다.

ChetGPT는 언어 이해와 생성 능력을 강화하기 위해 다양한 발전을 이루었습니다. 그러나 현재의 ChetGPT는 여전히 몇 가지 제한사항과 한계를 가지고 있습니다. 예를 들어, 일부 경우에는 일관성이 떨어지거나 정보의 정확성이 부족할 수 있습니다. 또한, ChetGPT는 입력에 의존하여 답변을 생성하므로, 잘못된 정보나 편향된 응답을 제공할 수도 있습니다.

5.2 ChetGPT의 발전 방향과 예측

ChetGPT는 현재 언어 이해와 생성 분야에서 높은 수준의 성능을 보여주고 있지만, 더욱 발전하기 위해 다양한 연구와 기술적인 개선이 필요합니다. ChetGPT의 발전 방향은 다음과 같은 몇 가지 측면으로 예측됩니다.

첫째, 더 많은 학습 데이터의 활용: ChetGPT의 성능은 큰 부분을 학습 데이터에 의존합니다. 따라서, 더 다양하고 대규모의 학습 데이터를 확보하고 활용하는 것이 중요합니다. 이를 통해 ChetGPT는 다양한 주제와 문체에 대한 이해력을 향상시킬 수 있습니다.

둘째, 지식의 구체화와 추론 능력 강화: ChetGPT는 주어진 문맥을 기반으로 응답을 생성하는 능력을 갖추고 있습니다. 그러나 더 나아가서는 ChetGPT가 지식을 구체화하고 추론을 수행하는 능력을 강화해야 합니다. 이를 통해 ChetGPT는 더 정확하고 의미 있는 답변을 제공할 수 있으며, 사용자의 질문이나 요구에 더욱 정확하게 대응할 수 있을 것입니다.

셋째, 상호작용 및 개인화 기능 강화: 현재 ChetGPT는 사용자와 의 상호작용을 통해 대화를 이어가는 능력을 갖추고 있습니다. 하지만 더 나아가서는 ChetGPT가 사용자와의 대화를 기반으로 사용자의 선호도, 관심사, 문제 해결 방식 등을 파악하고 개인화된 서비스를 제공하는 능력을 발전시켜야 합니다. 이를 통해 ChetGPT는 개별 사용자에게 맞춤형 지원을 제공하고 더 나은 사용자 경험을 제공할 수 있을 것입니다.

넷째, 실시간 학습 및 지속적인 모델 개선: ChetGPT의 학습은 초기에 대규모의 사전학습 데이터로 이루어집니다. 그러나 미래에는 실시간 학습 및 지속적인 모델 개선이 가능한 방향으로 발전할 것으로 예측됩니다. 이를 통해 ChetGPT는 실시간으로 변화하는 지식과 정보에 대응하며, 사용자의 피드백과 데이터를 반영하여 모델을 지속적으로 개선할 수 있을 것입니다.

다섯째, 윤리적인 사용과 투명성 강화: 인공지능 시스템의 발전과 함께 윤리적인 문제와 투명성의 필요성도 증가하고 있습니다. ChetGPT의 발전 방향에는 사용자의 개인정보 보호, 편향성 제어, 의사 결정 과정의 투명성 등 윤리적인 측면을 강화하기 위한 연구와 기술적인 개선이 포함될 것입니다. 이를 통해 ChetGPT는 더 신뢰할 수 있는 서비스를 제공할 수 있을 것입니다.

ChetGPT의 발전 방향과 예측은 다양한 연구 및 개발 노력에 따 라 변화할 수 있습니다. 그러나 더 나은 언어 이해와 생성 능력, 상호작용 기능, 지식 구체화 및 추론 능력, 개인화 서비스, 윤리적 사용과 투명성 등의 측면에서 ChetGPT의 발전은 사용자에게 더욱 효과적이고 유용한 서비스를 제공하는 데 도움을 줄 것으로 기대됩니다.

5.3 ChetGPT의 잠재적 활용 분야

ChetGPT는 강력한 언어 이해와 생성 능력을 갖춘 인공지능 시스템으로, 다양한 분야에서 잠재적으로 활용될 수 있습니다. 다음은 ChetGPT의 잠재적인 활용 분야에 대한 자세한 내용입니다.

상담 서비스:

ChetGPT는 사용자와 자연스러운 대화를 수행할 수 있는 능력을 갖추고 있습니다. 이를 활용하여 상담 서비스 분야에서 가상 상담사나 챗봇으로 활용될 수 있습니다. ChetGPT는 사용자의 문제나 요구를 이해하고 적절한 조언이나 지원을 제공할 수 있으며, 심리 상담, 건강 상담, 고객 서비스 등 다양한 분야에서 사용될 수 있습니다.

교육 분야:

ChetGPT는 개별 학습 지원, 교육 콘텐츠 개발, 학습 진단 등 교육 분야에서의 활용 가능성이 있습니다. 개별 학습 지원을 위해 ChetGPT는 학생들과 대화하고 학습 진도나 어려움을 파악하여 맞춤형 지원을 제공할 수 있습니다. 또한, 교육 콘텐츠 개발자들은 ChetGPT를 활용하여 콘텐츠를 생성하고 학습자들과의 상호작용을 통해 개선할 수 있습니다.

콘텐츠 생성 및 글 작성:

ChetGPT는 다양한 문체와 스타일로 콘텐츠를 생성할 수 있는 능력을 갖추고 있습니다. 따라서, ChetGPT는 글 작성, 스토리텔링, 시나리오 작성 등의 분야에서 큰 도움을 줄 수 있습니다. 예를 들어, 작가나 마케팅 전문가는 ChetGPT를 활용하여 다양한 글을 생성하고 창의적인 아이디어를 얻을 수 있습니다.

번역 서비스:

ChetGPT는 다국어 간의 번역에도 활용될 수 있습니다. ChetGPT는 다양한 언어의 문맥을 이해하고 의미를 전달할 수 있으며, 자연스러운 번역을 제공할 수 있습니다. 이는 다양한 문화와 언어 간의 소통을 촉진하고 비즈니스, 국제 관계, 여행 등 다양한 분야에서 유용하게 사용될 수 있습니다.

정보 검색 및 질의응답 시스템:

ChetGPT는 사용자의 질문에 대해 정확한 답변을 제공할 수 있는 능력을 갖추고 있습니다. 이를 활용하여 정보 검색 및 질의응답 시스템에서 사용자의 질문에 대한 적절한 답변을 제공할 수 있습니다. 이는 검색 엔진, 지식 베이스, FAQ 시스템 등에서 사용자 경험을 향상시키고 문제 해결을 돕는 데에 큰 도움이 될 것입니다.

문서 요약 및 분석:

ChetGPT는 긴 문서를 간결하게 요약하거나 핵심 정보를 추출하는 능력을 갖추고 있습니다. 이를 활용하여 문서 요약, 문서 분석, 정보 추출 등 다양한 분야에서 사용될 수 있습니다. 예를 들어, 연구자들은 ChetGPT를 활용하여 논문 요약이나 정보 검색을 수행할 수 있으며, 비즈니스 분석가들은 리포트 요약이나 데이터 분석을 돕는 데에 활용할 수 있습니다.

ChetGPT의 잠재적인 활용 분야는 계속해서 확장될 수 있으며, 새로운 분야에서도 그 활용 가능성이 탐구될 것입니다. 그러나 ChetGPT의 활용은 사용자의 개인정보 보호와 편향성의 제어, 윤리적인 고려 사항 등에 주의를 기울여야 합니다. 이를 위해 기술 개발자, 윤리 전문가, 정부 등 다양한 이해 관계자들의 협력이 필요합니다. ChetGPT의 활용은 사회적 가치와 윤리적 원칙을 존중하며, 인간의 복지와 발전을 위한 도구로 지속적으로 발전해야 합니다.

6. 결론

인공지능 기술의 발전과 ChetGPT의 개발은 우리의 삶과 사회에 많은 영향을 미치고 있습니다. 그러나 이러한 기술의 발전은 동시에 윤리적인 문제와 철학적인 고민을 야기하고 있습니다. 이에 대한 심층적인 탐구와 접근이 필요합니다.

윤리적인 문제로서 인공지능은 개인정보 보호, 편향성, 책임의 귀속 등 다양한 문제를 동반하고 있습니다. ChetGPT와 같은 언어모델은 사람의 의견과 편향성을 반영할 수 있으며, 오용될 수도 있습니다.

따라서, ChetGPT를 개발하고 활용할 때는 사용자의 개인정보 보호와 편향성의 제어를 위한 강력한 윤리적 가이드라인과 규제가 필요합니다.

또한, 철학적인 접근을 통해 인공지능의 역할과 책임을 고민해야 합니다. 인공지능은 사회적인 역할을 수행하며, 의사 결정에 영향을 미칠 수 있습니다. 따라서, 어떠한 가치와 이념을 기반으로 인공지능 시스템을 개발하고 사용할 것인지에 대한 철학적인 고민이 필요합니다. 이는 공정성, 공공이익, 인권 등의 가치를 고려하여 개발과 사용을 진행해야 함을 의미합니다.

이러한 윤리적 문제와 철학적 고민을 해결하기 위해서는 기술 개발자, 정부, 사회 단체, 윤리 전문가 등 다양한 이해 관계자들의 협력이 필요합니다. 이를 통해 인공지능 기술의 발전과 사용은 사회적 가치와 윤리적 원칙을 존중하며, 인간의 복지와 발전을 위한 도구로 활용될 수 있을 것입니다.

결론적으로, ChetGPT와 같은 인공지능 기술은 현대 사회에 많은 잠재력을 갖고 있습니다. 그러나 이를 적절하고 윤리적으로 활용하기 위해서는 윤리적 문제와 철학적 고민에 대한 심층적인 고찰과 책임

있는 개발과 사용이 필요합니다. 인공지능의 발전은 우리가 인간성과 윤리적 가치를 존중하며, 보다 공정하고 공공이익을 추구하는 사회를 만들기 위한 노력의 일환으로 이루어져야 합니다.

ChatGPT 어제 오늘 그리고 내일 -끝-

\<마치며\>

우리는 지금까지 AI의 세계를 여러 면에서 살펴보며 많은 이야기를 나눴습니다, 디지털 혁신의 흐름을 따라가며, 인공지능이 우리 생활 속에서 어떻게 활용되고 있는지, 또 어떻게 활용될 수 있는지를 함께 살펴봤습니다.

이 여정에서 우리는 AI의 창조적인 면모부터 윤리적인 고민까지 다양한 주제를 둘러보았습니다. 그리고 이러한 기술이 우리의 교육에 어떤 변화를 가져올 수 있는지도 상상해보았네요.

이 책을 통해 조금이라도 AI에 대해 더 알게 되셨길 바라며, 혹시 이 책이 답을 찾지 못한 질문이나 궁금증이 있다면, 계속해서 탐구하는 것을 권장합니다. 어짜피 답은 없습니다. 우리는 AI의 세계가 무궁무진한 가능성을 품고 있다고 믿습니다.

저희와 함께 이 여정을 떠나주셔서 감사합니다. AI를 잘 활용하여 더 나은 미래를 기대해봅니다.
감사합니다.